O que os animais nos ensinam sobre política

O que os animais nos ensinam sobre política
Brian Massumi

© Brian Massumi, 2014
© n-1 edições, 2017
ISBN 978-85-66943-47-4

Embora adote a maioria dos usos editoriais do âmbito brasileiro, a n-1 edições não segue necessariamente as convenções das instituições normativas, pois considera a edição um trabalho de criação que deve interagir com a pluralidade de linguagens e a especificidade de cada obra publicada.

COORDENAÇÃO EDITORIAL Peter Pál Pelbart
    e Ricardo Muniz Fernandes
TRADUÇÃO Francisco Trento e Fernanda Mello
PREPARAÇÃO Fernanda Mello
REVISÃO DE NOTAS Isabela Sanches
PROJETO GRÁFICO Érico Peretta

A reprodução parcial deste livro sem fins lucrativos, para uso privado ou coletivo, em qualquer meio impresso ou eletrônico, está autorizada, desde que citada a fonte. Se for necessária a reprodução na íntegra, solicita-se entrar em contato com os editores.

1ª reimpressão | junho, 2021
n-1edicoes.org

A n-1 edições agradece o apoio à publicação fornecido pelo Conseil de Recherche en Sciences Humaines du Canada (CRSH)

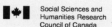

Brian Massumi

O que os animais nos ensinam sobre política

TRADUÇÃO
Francisco Trento
e Fernanda Mello

n-1
edições

Este livro é dedicado a minha amizade
de infância com Bruce Boehrer, com
quem me tornei um tanto animal e travei
batalhas diárias — não menos sérias
por serem de brincadeira — contra as
devastações do antropocentrismo.

09 O que os animais nos
ensinam sobre política

79 PROPOSIÇÕES

109 SUPLEMENTO 1
Escrever como um rato
torce o rabo

125 SUPLEMENTO 2
A zoo-logia da brincadeira

167 SUPLEMENTO 3
Seis teses sobre o animal
que *devem ser evitadas*

180 Referências bibliográficas

O que os animais nos ensinam sobre política

O que os animais nos ensinam sobre política... não é a mais promissora das proposições à primeira vista. O que os animais *teriam* a nos ensinar? Isto é, além da resignação às duras necessidades da natureza distinta; da desesperada luta pela sobrevivência; da guerra selvagem de todos contra todos, em que o mais próximo que se pode chegar de uma vitória é a paz provisória de uma adaptação viável, garantindo uma frágil ilha de normalidade nos mares turbulentos de uma vida "sórdida, brutal e curta", como Hobbes enunciou de forma memorável na aurora da Idade Moderna da humanidade.

Mas para nós, que, retrospectivamente, nunca fomos modernos, o estado da natureza já não é o que era. A lei da competição teve de se curvar perante uma saudável dose de cooperação, cujas contribuições cruciais para a evolução são agora amplamente conhecidas, com a simbiose sendo aceita como a origem da vida multicelular.[1] Em vista desses desenvolvimentos, colocar a simpatia em igualdade de condições com a agressão como um fator na natureza não é mais algo impensável. Ao mesmo tempo, a imagem rígida do animal como um mecanismo dominado pelo automatismo do instinto dá sinais de enfraquecimento, conferindo uma margem maior às variações individuais, como o surgimento de uma nova área de pesquisa na etologia, dedicada à "personalidade"

---

[1] Ver Lynn Margulis, *Symbiotic Planet*. Nova York: Basic Books, 1999; Martin A. Nowak com Roger Highfield. *Super Cooperators: Altruism, Evolution, and Why We Need Each Other to Succeed*. Nova York: Free Press, 2011.

animal, evidencia.[2] Como veremos, o próprio instinto dá sinais de elasticidade, e mesmo de uma criatividade que se poderia rotular de "artística".

"Simpatia" e "criatividade": sempre que essas palavras aparecem perto demais do termo "animal", para muitos soam o alarme. Em seguida, ecoa a acusação de antropomorfismo. Há pouca esperança de conseguir driblá-la quando se empreende a tarefa de integrar ao conceito de "natureza" noções como essas, há tempos marginalizadas pelas correntes dominantes na biologia evolucionista, no comportamento animal e na filosofia. O problema reside no caráter qualitativo dos termos. "Qualitativo" sugere "subjetivo", e a simples pronúncia dessas palavras traz o que David Chalmers chamou de "o problema difícil" da consciência na soleira da porta, uma visita inesperada espreitando nos corredores da ciência.[3] A questão deixa de ser apenas sobre o comportamento animal e alcança o pensamento animal e sua distância — ou proximidade — das capacidades sobre as quais nós, animais humanos, julgamos ter um monopólio, e nas quais hasteamos nosso excessivo orgulho quanto à existência em nossa espécie: linguagem e consciência reflexiva.

Adiante, arrisco-me voluntariamente a ser acusado de antropomorfismo[4] em prol de seguir o rastro do que é qualitativo e do que é subjetivo na vida animal, e da criatividade

---

2 Ver Claudio Carere e Dario Maestripieri (orgs.), *Animal Personalities: Behavior, Physiology, Evolution*. Chicago: University of Chicago Press, 2013.

3 David Chalmers, "Facing Up to the Problem of Consciousness". *Journal of Consciousness Studies* nº 2, 1995, pp. 200-219.

4 Como argumenta Jane Bennett, "antropomorfizar tem suas virtudes". J. Bennett, *Vibrant Matter: A Political Ecology of Things*. Durham: Duke University Press, 2010, p. 25; cf. também pp. 98-100. Proveitosamente, Bennet dissocia antropomorfismo de antropocentrismo.

na natureza, fora dos corredores da ciência, nos meandros da filosofia, a fim de divisar uma política diferente, que não seja uma política humana do animal, mas uma inteiramente animal, livre dos paradigmas tradicionais do sórdido estado da natureza e das pressuposições acerca dos instintos que permeiam tantas facetas do pensamento moderno.

Investigações recentes com ênfase similar na criatividade na natureza tomaram como ponto de partida a artisticidade dos rituais de cortejo animal. Esse ponto inicial coloca o foco da discussão na seleção sexual. Por razões que se tornarão claras, este não é o caminho que seguiremos aqui. Como analisada por Elizabeth Grosz, a seleção sexual põe em questão, de forma bem-sucedida, a teoria neodarwiniana que defende que a mutação aleatória é a única fonte de variação da vida, desatrelando a morfogênese — a gênese das formas de vida — da sua aderência ao mero acaso.[5] Isso também põe em dúvida a teoria associada de que o único princípio de seleção operando na evolução é a adaptação a circunstâncias externas.[6] Na arena do cortejo animal, a seleção incide direto nas

---

5 Elizabeth Grosz, *Chaos, Territory, Art: Deleuze and the Framing of the Earth*. Nova York, Columbia University Press, 2008.

6 E. Grosz, *Becoming Undone: Darwinian Reflections on Life, Politics, and Art*. Durham: Duke University Press, 2011, parte 3, cap. 8. Sobre aos desafios clássicos ao fundamentalismo neodarwiniano quanto às questões da seleção natural e da adaptação, cf. Stephen Jay Gould, *The Panda's Thumb: More Reflections in Natural History*. Nova York: Norton, 1980; R. C. Lewontin, Steven Rose, e Leon J. Kamin. *Not in Our Genes: Biology, Ideology, and Human Nature*. Nova York: Pantheon, 1984; Robert Wesson, *Beyond Natural Selection*. Cambridge: MIT Press, 1991; Brian Goodwin. *How the Leopard Changed Its Spots*. Londres: Phoenix, 1995; e, obviamente, Bergson, *A evolução criadora* (trad. bras. de Bento Prado Neto. São Paulo: Martins Fontes, 2005). A recente confirmação de mecanismos biológicos de herança de traços adquiridos (herança epigenética) enfraqueceu ainda mais o reduzido chamado à completude do modelo neodarwiniano. Para uma análise da pesquisa no campo, que se desenvolve a passos largos, da herança epigenética, cf. Eve Jablonska e Gal Raz, "Transgenerational Epigenetic Inheritance: Prevalence, Mechanisms, and

qualidades da experiência vivida. O escopo está na criatividade, e não na conformidade adaptativa às restrições de determinada circunstância. A seleção sexual expressa uma inventiva exuberância animal associada a qualidades de vida, sem valor direto de uso ou de sobrevivência. Como apontado pelo próprio Darwin, os excessos da seleção sexual só podem ser descritos como expressão de um "senso de beleza" (basta perguntar à pavoa).[7] A presente explanação concorda com todos esses pontos. A razão básica para não tomarmos a seleção sexual como ponto de partida é que, ao fazê-lo, deixaríamos de lado a maioria das formas de vida que povoam a Terra. Seria pular as criaturas mais "primitivas", menos ostentativas no modo de copular, sem mencionar os animais "mais inferiores", que persistem em se multiplicar de forma assexuada.[8]

Implications for the Study of Heredity and Evolution". *Quarterly Review of Biology* v. 84, nº 2, 2009, pp. 131-176. Cf. também Nessa Carey, *The Epigenetics Revolution: How Modern Biology Is Rewriting Our Understanding of Genetics, Disease, and Inheritance*. Chicago: University of Chicago Press, 2012.

7 Darwin, *The Descent of Man, and Selection in Relation to Sex*, v. 1. Londres: John Murray, 1871, pp. 63-64.

8 Há outras razões para não privilegiar a seleção sexual aqui. Considerar a seleção sexual como ponto de partida é focar na competição e na rivalidade entre indivíduos (E. Grosz, *Becoming Undone* op. cit.). Isso direciona a pulsão para o excesso qualitativo na experiência perceptiva do sujeito individual do desejo e lastreia o conceito de desejo com fundamentais conotações de interesse próprio. Também tende a construir a afirmação estética do qualitativo na vida animal como contrária ao instinto ("O artístico é um salto para fora da materialidade, o embalo da virtualidade agora engrenado e extraído da matéria para fazê-la funcionar de maneira imprevisível [...] A arte é o processo de fazer com que as sensações fiquem vivas, de dar vida autônoma à qualidade expressiva e às formas materiais" [E. Grosz, *Chaos, Territory, Art* op. cit., pp. 75, 103]). Isso implica que abaixo do limiar evolutivo em que a seleção sexual opera não haja espaço para as sensações, e os animais sejam inexpressivos e prisioneiros de suas formas materiais. Isso pode ser interpretado como uma aceitação implícita da abordagem tradicional mecanicista da matéria "burra", respeitadora das leis e desprovida de surpresas,

Em vez disso, o foco será na *brincadeira* animal, trabalhando em particular com o famoso ensaio de Gregory Bateson sobre o tema.[9] É verdade que a brincadeira se consuma como uma arena independente de atividades entre animais "superiores" com certo nível de complexidade, em particular entre mamíferos.[10] Porém, como veremos, entender o florescimento da

---

e a ideia correlata do "instinto" como ação de reflexo mecânico. Sugere que somente um salto da natureza para a cultura, articulado em termos reminiscentes do conceito freudiano de "sublimação", pode salvar o animal do mecanismo da matéria burra ("a arte sequestra os impulsos de sobrevivência e os transforma pelos caprichos e intensificações promovidos pela sexualidade" [Ibid., p. 11]). Finalmente, a definição de "sexualidade" mobilizada ("o alinhamento de corpos com outros corpos e partes de um mesmo corpo" [Ibid, pp. 64-65]) parece pressupor um corpo pré-constituído, assim como a ideia de "competição" assume um sujeito pré-constituído. Além disso, parece pressupor que as relações dos corpos uns com os outros e deles com eles próprios só podem ser entendidas nos mesmos termos que as relações entre objetos (parte-com-parte, relações externas expressáveis em termos espaciais como "alinhamento"). É preciso enfatizar que a própria Grosz não corrobora essas implicações e as contesta em muitos pontos. A presente descrição procura desenvolver uma explanação que os repasse exaustivamente desde o primeiríssimo momento. Ela enfatiza o processo transindividual através do qual os indivíduos devêm. Tenta desenvolver um vocabulário que nunca abra mão da ideia de que ambos, corpo e sujeito, são sempre emergentes e jamais figuram como pré-constituídos. Procura repensar o instinto incluindo um elemento de criatividade de uma ponta à outra do *continuum* da vida. Seu projeto requer pensar a "relação interna" ou imanente, segundo uma lógica de "mútua inclusão" que será desenvolvida ao longo do ensaio — lógica essa que mobiliza primariamente as tendências (entendidas como "subjetividades-sem-sujeito"), e não objetos e sujeitos. Por fim, mostra-se necessário colocar radicalmente em questão a separação categorial entre as operações da matéria e os aspectos qualitativos e subjetivos da dimensão "estética" do excesso, da expressividade, e da artisticidade da vida (essa divisão está implícita na primeira citação de Grosz trazida acima, em que a matéria aparece como morta e burra). Aqui, a seleção sexual será tomada como uma instância particular da "autocondução" criativa da natureza, um caso especial de brincadeira.

9 Gregory Bateson, "A Theory of Play and Fantasy". *Steps to an Ecology of Mind*. Chicago: University of Chicago Press, 1972, pp. 177-193.

10 Gordon M. Burghart em seu compendioso estudo da ciência da brincadeira animal (*The Genesis of Animal Play: Testing the Limits*. Cambridge: MIT Press, 2005), argumenta que comportamentos específicos das brincadeiras são muito mais

brincadeira nesse nível exige a teorização das origens da simpatia e da criatividade, o qualitativo e até mesmo o subjetivo em todos os pontos do *continuum* da vida animal. A própria natureza do instinto, e, assim, da própria animalidade, deve ser repensada como uma consequência.

Esse projeto requer que o humano seja realocado no *continuum* animal, o que tem de ser feito de uma maneira que não apague o que é diferente no humano, mas sim respeite essa diferença ao lhe fornecer uma nova expressão *no continuum*: imanente à animalidade. Expressar o pertencimento singular do humano ao *continuum* animal tem implicações políticas, assim como toda questão de pertencimento. A derradeira aposta deste projeto é política: investigar que lições podem ser aprendidas ao jogar com a animalidade dessa forma, acerca dos nossos modos usuais e demasiado humanos de lidar com o político. A esperança é que no decorrer da investigação possamos ir além de nosso antropomorfismo *quanto a nós mesmos*: nossa imagem de nós mesmos como estando humanamente apartados dos outros animais; nossa inveterada vaidade no que se refere à nossa assumida identidade de espécie, baseada em razões especulativas de nossa exclusiva propriedade sobre linguagem, pensamento e criatividade. Veremos o que os pássaros e as feras têm a dizer instintivamente sobre isso.

Este ensaio é um prolongado experimento de pensamento sobre o que pode ser uma política animal. Busca construir o conceito de uma política animal e levá-lo ao limite do que

---

difundidos do que tradicionalmente se pensa. São observáveis não apenas em animais placentários, mas também marsupiais, em um grande número de espécies de aves e em alguns répteis e peixes. Dentre os invertebrados, considera presentes comportamentos limítrofes às brincadeiras em crustáceos, cefalópodes e alguns insetos, como baratas, formigas e abelhas.

isso pode fazer, com simpatia e criatividade, começando e terminando na brincadeira — do mesmo modo que Whitehead afirma que a filosofia começa no assombro, e, depois de tudo dito e feito, no assombro permanece.[11]

A discussão de Bateson acerca da brincadeira animal gira em torno da *diferença*. Esse é o melhor ponto de partida para pensar o *continuum* animal, que é um espectro de variação contínua — um campo mutante de diferenciações reciprocamente pressupostas, complexamente imbricadas umas às outras ao longo de toda a linha. No decorrer da discussão seguinte, um conceito será aos poucos construído para essa imbricação recíproca de diferenças: *mútua inclusão*. Mas, por ora, a questão é como entra em jogo a diferença.

Dois animais que se entregam à brincadeira, por exemplo, uma brincadeira de luta, desempenham atos que "são similares, porém não os mesmos do combate".[12] Cada gesto lúdico envolve uma diferença com uma fachada de similaridade – o que poderia ser considerado uma definição de "analogia". Brincar não envolve produzir uma perfeita semelhança entre dois atos que pertencem a ordens distintas. Não se trata de fazer "como se" um fosse o outro, no sentido de fazer com que um se passe pelo outro. O gesto de brincar é análogo *porque* aquilo que está em jogo não é o Mesmo. O gesto de brincar mantém afastadas as atividades análogas, assinalando uma diferença mínima, no mesmo ato pelo qual as reúne. Ele reúne atos pertencentes a diferentes arenas *em* sua diferença. É com a não coincidência que se brinca. O gesto lúdico envolve essa disparidade em sua própria execução. Isso é precisamente o que faz dele uma brincadeira. Se um gesto

---

11 A. N. Whitehead, *Modes of Thought*. Nova York: Free Press, 1968, p. 168.
12 G. Bateson, "A Theory of Play and Fantasy" op. cit., p. 179.

numa brincadeira de luta fosse idêntico ao seu análogo no combate, a brincadeira logo se tornaria uma luta. Um gesto lúdico tem de assinalar seu pertencimento à arena da brincadeira para não acabar resvalando para fora dela. Por exemplo, se dois filhotes de lobo ao brincar de luta desempenham os movimentos com muita similaridade com o combate, e não em analogia a ele, os parceiros logo se tornarão adversários, com o risco de lesão potencialmente grave. Um gesto lúdico deve demonstrar, em sua *forma* de execução, o seguinte: "isto é um jogo".

A declaração da brincadeira, "isto é um jogo", explica Bateson, está longe de ser um simples ato de designação. É a encenação de um *paradoxo*. Um filhote de lobo que morde o colega de ninhada ao brincar "diz", pela forma com que morde: "isto não é uma mordida". Bateson afirma que a mordida de brincadeira "representa" ativamente outra ação, ao mesmo tempo em que coloca em *suspenso* o contexto no qual a ação encontra sua força prática e sua função normal.[13] A mordida de brincadeira que diz que não é uma mordida tem o *valor* da ação análoga sem sua força ou função. Através dos dentes, o filhote de lobo diz: "isto não é uma mordida; isto não é uma luta; isto é um jogo; por meio dele estou me colocando num registro diferente de existência, que, no entanto, representa seu análogo suspenso".

A suspensão exerce a própria força: uma força de indução. Quando faço um tipo de gesto que me coloca no registro da brincadeira, você também é imediatamente levado para ela. Meu gesto o transporta comigo para uma arena de atividade diferente daquela em que estávamos. Você é induzido a brincar comigo. Num só gesto, dois indivíduos são arrebatados e

13 Ibid., p. 180.

movidos em conjunto para um registro de existência em que o que importa já não é o que se faz, mas o que se representa.

A força do gesto lúdico é uma força de passagem que induz uma mudança qualitativa na natureza da situação. Dois indivíduos são arrebatados de uma só vez, mas sem mudar de local, por uma força instantânea de transformação. São absorvidos por uma *transformação-in-loco* que não afeta um sem afetar o outro. O gesto lúdico libera uma força de transformação *transindividual*. A imediatez da transformação que a execução do gesto induz qualifica o gesto lúdico como um ato performativo. A brincadeira é feita de gestos performativos que exercem uma força transindividual.

Bateson parafraseia o sentido que os gestos lúdicos desempenham na seguinte fórmula: "Estas ações nas quais agora nos engajamos não denotam aquilo que iriam denotar as ações *que elas representam*".[14] Vale a pena observar duas coisas acerca de como essa fórmula se desenrola.

Primeiro, Bateson sublinha o fato de que o gesto lúdico é uma forma de *abstração*. Além de ser um ato performativo que efetua uma transformação-*in-loco*, carrega um elemento de metacomunicação, isto é, de reflexividade. Ele comenta sobre o que está fazendo enquanto está fazendo: "essas ações nas quais agora nos engajamos...". Esse "comentário" ocorre na forma de uma diferença estilística. Na brincadeira você não morde, você mordisca. A diferença entre morder e mordiscar é o que abre a lacuna analógica entre combate e brincadeira. É o *estilo* do gesto que desfralda a diferença mínima entre o gesto de brincadeira e seu análogo na arena de combate. O gesto desempenha um movimento, com toda a imediatez de uma transformação-*in-loco* instantânea, ao

---

14 Ibid., grifo do autor.

passo que, no mesmíssimo movimento, desempenha uma abstração da sua ação, refletindo sobre ela no metanível do comentário e nela inserindo a lacuna de uma distância analógica de diferença recíproca.

Em segundo lugar, a diferença que a abstração do gesto coloca em jogo está num modo particular: o condicional. "Estas ações [...] não denotam aquilo que *iriam* denotar as ações que elas representam". O gesto lúdico impregna a situação de realidade condicional. As ações análogas da arena de atividade na qual se brinca — a do combate — estão presentes no modo da possibilidade. A ação que então ocorre é habitada por ações que pertencem a uma arena existencial diferente, cujas ações são de fato sentidas no presente, mas, em potencial, em suspenso. E, muito embora em suspenso, exercem um poder. Por analogia, orientam as ações do desdobramento da brincadeira, dotando-as de uma lógica norteadora. Elas dão ao jogo aquilo que Susanne Langer chama de "forma dominante" [*commanding form*] ou "matriz" formativa.[15] Os gestos do combate in-formam o jogo, modulam-no por dentro. Ao mesmo tempo, eles mesmos são ligeiramente deformados pelo estilismo da brincadeira e sua própria lógica lúdica. É sob efeito dessa deformação que os golpes do combate transmutam-se em movimentos num jogo.

Onde a modulação imanente e a deformação estilística se sobrepõem — isto é, no próprio gesto —, a arena do combate e a da brincadeira entram numa *zona de indiscernibilidade*, sem que suas diferenças sejam apagadas. As lógicas da luta e da brincadeira abarcam-se em sua diferença; sobrepõem-se em seu gesto compartilhado, cuja simplicidade, como um único ato, constitui sua zona de indiscernibilidade.

15 Susanne Langer. *Feeling and Form*. Nova York: Scribner, 1953, pp. 122-123.

Sobrepõem-se na unicidade do desempenho sem que a distinção entre elas seja perdida. São performativamente fundidas sem se confundir. Convergem sem se unir, ocorrendo em conjunto sem coalescência. A zona de indiscernibilidade não é uma indiferenciação; em vez disso, é onde as diferenças se unem ativamente.

O modo de abstração produzido na brincadeira não respeita a lei do terceiro excluído. Sua lógica é a da mútua inclusão. Há duas lógicas diferentes na mesma situação, e ambas continuam presentes em suas diferenças e têm participação cruzada em suas zonas performativas de indiscernibilidade. Combate e brincadeira convergem — e essa convergência resulta em três. Há um, há outro, e há o *terceiro incluído* de sua mútua influência. A zona de indiscernibilidade que é o terceiro incluído não adere à santidade da separação de categorias nem respeita a rígida segregação das arenas de atividade.[16]

Bateson discute extensivamente a natureza paradoxal da abstração efetuada na brincadeira.[17] Ele a vê como uma instância do paradoxo de Epimênides, que ficou famoso por meio de Bertrand Russell, e consiste em "uma declaração negativa contendo uma metadeclaração negativa implícita". A declaração gestual "isto não é uma mordida" contém a seguinte metadeclaração implícita: "estas ações não denotam aquilo que iriam denotar". Porém, ao mesmo tempo, se fosse tão simples que as ações não denotassem aquilo que denotariam,

16 Sobre a zona de indiscernibilidade (também chamada de zona de proximidade ou vizinhança, zona de intensidade ou zona de indeterminação objetiva), cf. Deleuze e Guattari *Mil platôs*, v. 3, trad. bras. de Aurélio Guerra Neto, Ana Lúcia de Oliveira, Lúcia Cláudia Leão e Suely Rolnik. São Paulo: Editora 34, 1996, p. 106; *Mil platôs*, v. 4 op. cit., pp. 64-66, 68, 73-75; e o capítulo "O que é um conceito?", em Deleuze e Guattari, *O que é a filosofia?*, trad. bras. de Bento Prado Júnior e Alberto Alonso Muñoz. São Paulo: Editora 34, 1992.

17 G. Bateson, "A Theory of Play and Fantasy" op. cit., p. 180.

não teriam de negar sua denotação. A declaração da brincadeira diz o que nega e nega o que diz. É logicamente indecidível. Claro que um filhote de lobo não diz nada, estritamente falando. Ele diz fazendo; atua. Sua "declaração" e sua "meta-declaração" são um paradoxo enativado, com a simplicidade de um único gesto. Na unicidade do gesto, as duas lógicas são reunidas numa metacomunicação, revestindo a situação de possibilidades que a superam. O gesto lúdico corporaliza essa complexidade. Sua abstração é pensamento incorporado. A brincadeira animal aciona o paradoxo. Ela o mobiliza e o dramatiza. A dramatização pega aquilo que, do ponto de vista da lógica tradicional, não passaria de sua própria implosão e, de fato, o *implode*. Constitui-se assim um *paradoxo efetivo*. A metacomunicação animal é eficaz. Ela se nivela, e induz ao nivelamento, com o seu desempenho, diretamente na imediatez da execução de seus gestos. Na brincadeira animal, a indecidibilidade lógica assume uma eficácia que é tão direta quanto paradoxal.

Bateson tira daí uma lição: "seria um péssimo exercício de história natural esperar que os processos mentais e os hábitos comunicativos dos mamíferos estivessem em conformidade com o ideal do lógico. De fato, se pensamento e comunicação humanos sempre estivessem em conformidade com o ideal, Russell não teria — não poderia ter, na realidade — formulado o ideal".[18] Aqui Bateson salienta outra mútua inclusão: a do animal e o humano. São a animalidade e a humanidade, como um todo e em suas diferenças, que adentraram paradoxalmente uma zona de indiscernibilidade.

A diferença entre o humano e o animal nessa conexão talvez resida no fato de os humanos experimentarem paradoxos

18 Ibid.

de mútua inclusão como um colapso de sua capacidade de pensar, e ficarem perturbados com isso (Russell certamente ficou, jamais superando por completo). No entanto, o animal é menos perturbado do que ativado por eles. O animal brincando afirma o paradoxo ativamente, efetivamente. Isso aumenta suas capacidades de pelo menos dois modos. Por um lado, os animais aprendem através da brincadeira (na medida em que uma luta de brincadeira é a preparação para o envolvimento no combate real que pode ser necessário no futuro). Por outro, o alcance de seus poderes mentais se expande. Na brincadeira, o animal se eleva ao nível metacomunicacional, em que ganha a capacidade de mobilizar o possível. Seu poder de abstração se eleva em um grau. Seus poderes de pensamento são aumentados. Suas capacidades vitais são implementadas de maneira mais completa, ainda que abstratamente. Suas forças de vitalidade são correspondentemente intensificadas. O gesto lúdico é um *gesto vital*.

Os humanos também podem praticar um paradoxo efetivo quando se permitem a entrega à brincadeira. Nela, o humano adentra uma zona de indiscernibilidade com o animal. Quando nós, humanos, dizemos "isto é uma brincadeira", assumimos nossa animalidade. A brincadeira dramatiza a participação recíproca do humano e do animal, de ambos os lados. Quando os animais brincam, estão enativando, em termos preparatórios, habilidades humanas. Bateson diz que, em nossas suposições usuais, entendemos equivocadamente a ordem evolutiva, pensando que a metacomunicação tem de vir após a comunicação denotativa que ela enreda. De fato, "a comunicação denotativa, como ocorre no nível humano, só é possível *após* a evolução de um complexo conjunto de regras metalinguísticas (mas não verbalizadas) que ditam como palavras e sentenças devem se relacionar a objetos e acontecimentos. Logo, é apropriado buscar a evolução dessas regras metalinguísticas e/ou metacomunicativas num nível pré-humano e pré-verbal".[19]

A brincadeira animal cria as condições para a linguagem. Sua ação metacomunicativa constrói a base evolutiva para as funções metalinguísticas que serão a marca registrada da linguagem humana, e o que a distingue de um mero código. A lógica corporificada da brincadeira animal, pré-humana e pré-verbal, já é essencialmente análoga à linguagem. É efetiva e enativamente linguística *avant la lettre*, como dizem os humanos em francês. Por que então o oposto também não seria verdadeiro: a linguagem humana ser essencialmente animal, do ponto de vista das capacidades lúdicas que carrega, tão intimamente vinculada aos poderes metalinguísticos? Pensemos no humor. Por que não considerar a linguagem humana uma reprise da brincadeira animal, elevada a uma potência mais alta? Ou dizer que, na realidade, é na linguagem que o humano atinge o mais alto grau de animalidade? Deleuze e Guattari não insistiram que é na escrita que o humano "devém-animal" mais intensamente; isto é, que entra mais intensamente numa zona de indiscernibilidade com a própria animalidade?[20]

Na brincadeira trata-se precisamente de uma questão de intensificação. O revestimento num campo não bélico daquilo que é próprio da arena de combate embala a situação. Cada ato carrega uma dupla carga de realidade, como se o que estivesse sendo feito fosse infundido pelo que se estaria fazendo.

---

19 Ibid.

20 Deleuze e Guattari, *Kafka: por uma literatura menor*, trad. bras. de Cíntia Vieira da Silva. Belo Horizonte: Autêntica, 2014, pp. 32-34, 67-73; *Mil platôs*, v. 4, trad. bras. de Suely Rolnik. São Paulo: Editora 34, 1997, pp. 17-33, 42-46; cf. também o Suplemento 1 abaixo.

A atualidade da situação se amplia com a possibilidade. A comunicação se complexifica com a metacomunicação. Cada gesto lúdico é carregado dessas diferenças de nível, situação e modo de existência ativa. Essa intensificação é provocada pela suspensão da lógica tradicional regida pelo princípio do terceiro excluído; mas faz com que a brincadeira seja muito mais que o mero colapso dessa lógica, efetua uma passagem para uma pragmática na qual uma lógica diferente é diretamente corporalizada na ação, nivelada ao gesto. Essa outra lógica não é nada se não for desempenhada, não é nada se não for vivida. A forma da abstração encenada na brincadeira é uma *abstração vivida*.[21]

Em que consiste essa pragmática enativa da abstração vivida?

Tudo depende da diferença mínima entre o gesto lúdico e o gesto análogo que ele invoca, e que, por sua vez, o habita. Tudo reside na lacuna entre morder e mordiscar, mover e saltitar, executar uma ação e dramatizá-la. O que escancara a diferença mínima, possibilitando a mútua inclusão que caracteriza a lógica da brincadeira, é mais uma vez o estilo. A diferença entre uma mordida de luta e uma mordida de brincadeira não está apenas na intensidade do ato no sentido quantitativo: com quanta força os dentes cravam. A diferença é qualitativa. O gesto lúdico é desempenhado com um ar travesso, um exagero ou uma desorientação brincalhões; ou, no extremo mais matizado do espectro, um floreio, ou até mesmo certa graciosidade subestimada chamando modestamente a atenção para o espírito em que o gesto é apresentado.[22] Um

---

21 Massumi, *Semblance and Event: Activist Philosophy and the Occurrent Arts*. Cambridge: MIT Press, 2011, pp. 15-19; 42-43; 146-158 e *passim*.

22 Sobre a graça como "uma simpatia virtual, ou mesmo nascente" assinalando um "progresso qualitativo", cf. Bergson, *Ensaios sobre os dados imediatos da consciência*, trad. port. de João da Silva Gama. Lisboa: Edições 70, 2011, p. 18.

gesto lúdico numa luta de brincadeira não se contenta em ser o mesmo que seu análogo no combate. Não é tanto "como" um movimento de combate, mas *combatesco*: como no combate, mas com um detalhe diferente, um detalhe a mais. Com um superávit: um excesso de energia ou espírito.

Esse excesso é sentido como um entusiasmo palpável que carrega uma força de indução, um envolvimento contagiante. Étienne Souriau observa o "entusiasmo do corpo" com o qual um animal se entrega à abstração vivida da brincadeira.[23] Ao brincar, o animal fica intensamente *animado*. Seus gestos vitais corporificam uma vivacidade aumentada. Expressam o que Daniel Stern chamaria de *afeto de vitalidade*.[24] O entusiasmo do corpo é o afeto de vitalidade da brincadeira tornado palpável. O afeto de vitalidade da brincadeira e o entusiasmo do corpo que ele expressa coincidem com o *-esco* em "combatesco".

Há uma "-esquidade" no gesto lúdico que marca sua diferença qualitativa em relação aos gestos análogos da arena de atividade com a qual se brinca. A "-esquidade" dos gestos é a assinatura performativa do modo de abstração na brincadeira. Ela corporaliza a "representância", na fórmula de Bateson. Em outras palavras, é o signo enativo do valor da ação. Em si, é pura representância, puro valor expressivo — o próprio elemento do lúdico na expressão, como uma forma de abstração vivida. A "-esquidade" do ato instancia o valor de brincadeira do jogo.

23 Étienne Souriau. *Le sens artistique des animaux*. Paris: Hachette, 1965, p. 35. Cf. Erin Manning (*Always More Than One: Individuation's Dance*. Durham: Duke University Press, 2013, pp. 84-203) para uma análise do que – em outro contexto, o da neurodiversidade e da experiência autística – a autora chama de "forma do entusiasmo".

24 Daniel Stern, *The Interpersonal World of the Infant*. Nova York: Basic Books, 1985, pp. 53-61 [Ed. bras.: *O mundo interpessoal do bebê*, trad. Maria Adriana. V. Veronese. Porto Alegre: Artes Médicas, 1992].

O que está em excesso na situação, sua sobrecarga de intensidade, é canalizado pelo valor de brincadeira do jogo. É um valor de excesso, no excesso: uma mais-valia. É uma mais-valia de animação, vivacidade — uma *mais-valia de vida*, irredutivelmente qualitativa, nivelada de forma ativa com o viver.

A mais-valia de vida, que é uma das -esquidades dos gestos vitais da brincadeira, corresponde ao que Raymond Ruyer chama de *rendimento estético* da atividade. O rendimento estético é o excesso qualitativo de um ato vivido puramente por si só, como um valor em si, acima e contra qualquer função que também possa ocupar. O rendimento é um excedente de vivacidade, trazido paradoxalmente à tona por força de abstração. A proposição de Ruyer é ainda mais radical: ele afirma que *todo* ato instintivo produz um rendimento estético. Isso situa a brincadeira num *continuum* de instinto e, inversamente, o instinto no espectro artístico. Portanto, é uma questão de ênfase considerar a brincadeira uma variedade do instinto ou o instinto um portador da brincadeira. Ambos estão corretos: inclusão diferencial mútua, com a mestria como operadora da inclusão.

A brincadeira pertence instintivamente à dimensão estética. A fim de considerar inteiramente o que há de singular na brincadeira, é necessário ressituá-la num *continuum* que se estende ao longo de toda a vida, em todos os seus níveis, desde o instinto mais básico até as capacidades mais elaboradas de expressão lúdica e abstração vivida — as da linguagem humana. Linguagem humana: pura representância, com poderes inigualáveis de paradoxo, capaz de produzir os mais puros e mais intensamente abstratos valores expressivos. Linguagem humana: cujas condições de possibilidade evolutiva são estabelecidas pela brincadeira no *continuum* do instinto. Ao longo de todo o *continuum*, de toda a vida, das expressões instintivas mais silenciosas às mais loquazes, ela carrega uma dimensão estética irredutível. A própria vida é inseparável do rendimento estético do qual usufrui continuamente. Ruyer assume o termo *self-enjoyment* [contentamento de si], de Whitehead, como um sinônimo para a mais-valia da abstração vivida.[25]

O rendimento estético da brincadeira é a medida qualitativa de sua inutilidade. A -esquidade do combatesco corresponde à diferença estilística entre executar um ato e dramatizá-lo, entre cumprir uma função e encenar sua representância. Um gesto exerce uma função lúdica na exata medida em que não cumpre sua função análoga, a qual o gesto lúdico coloca em suspenso em prol da própria representância que dela faz. Se o valor expressivo da representância não é pronunciado o bastante; se a diferença correspondente à -esquidade do ato é mínima demais; se a lacuna entre a arena da brincadeira e sua arena análoga é demasiado estreita; se, em suma, o rendimento estético é insignificante, então a atividade lúdica também pode facilmente se transformar em seu análogo. Muito rapidamente a mordida denota aquilo que ela denota, e não mais o que iria denotar. É guerra. Pode haver sangue. A mais-valia de vida da brincadeira vira um déficit, uma transformação-*in-loco* tão imediata quanto a inaugurada pela brincadeira. A dimensão estética do gesto se retrai até se tornar um ato de designação ("isto é uma mordida") e uma ação instrumental ("querendo ou não, agora efetivamente faço o que estou fazendo, e não mais o que estaria").

---

25 Raymond Ruyer, *Le néo-finalisme*. Paris: PUF, 1952, p. 103. Como veremos no segundo suplemento, o próprio ato de percepção é um gesto vital que carrega um elemento de transformação-*in-loco* e de brincadeira; e, portanto, um grau de reflexividade imediata, que Ruyer chama de "inspeção absoluta". Ecoando Whitehead, Ruyer menciona que a "autofruição" está conectada com a inspeção absoluta.

A representância do gesto de brincar faz da brincadeira uma atividade *expressiva*, essencialmente em excesso em relação à função. A qualidade de animação da brincadeira, a mais-valia de vida que ela desempenha com o entusiasmo do corpo, supera a instrumentalidade. Seu rendimento por natureza excede o valor de uso funcional de seus atos análogos. O ato lúdico abre uma lacuna entre a própria força situacional e a funcionalidade dos análogos com que ele joga, e investe a lacuna com o valor puramente expressivo da representância. Essa é uma manobra instável que pode sair dos trilhos a qualquer momento.

Pode-se objetar que a brincadeira tem, sem dúvida, uma função. De fato, isso já foi mencionado: brincar desempenha um papel de aprendizado. De acordo com as opiniões dominantes, quando um animal entra numa luta de brincadeira, está treinando para um futuro combate real. Segundo essa opinião, a brincadeira é formalmente modelada conforme sua arena de atividade análoga: para ser útil como treino, a forma dos movimentos da luta de brincadeira deve ser bastante semelhante à do combate. O serviço instrumental prestado pela brincadeira à função futura dita que o seu princípio norteador seja que sua forma se conforme. Não carrega uma força expressiva, posto que dedicada à função adaptativa. Está fundamentalmente a serviço da guerra de todos contra todos. Ele deve ser entendido em termos de mero valor de sobrevivência, não de produção estética de mais-valia de vida.

É inegável que a brincadeira tem um papel no aprendizado, e que o aprendizado serve a fins adaptativos. Menos claro é o fato de que isso significa que a relação da brincadeira com suas arenas análogas é essencialmente de subordinação conformativa.[26] O excesso estilístico da brincadeira, sua -esquidade, não corresponde apenas a um detalhe a mais que floreia o gesto, mas a um *poder de variação*. A forma do gesto é deformada, de modo mais ou menos sutil, sob a pressão do entusiasmo do corpo que o realiza. Na deformação, a forma análoga assume outra forma. A lacuna entre o gesto lúdico e seu análogo cria uma margem de manobra: abre espaço para a *improvisação*. A brincadeira é a arena de atividade dedicada à improvisação das formas gestuais, um verdadeiro laboratório de formas de ação ao vivo. Aquilo de que se brinca é invenção. O rendimento estético da brincadeira vem com uma mobilização ativa dos poderes de variação improvisados. A mais-valia de vida é igual à mais-valia de inventividade.

Não fosse esse o caso, a luta estaria perdida. É efetivamente o poder de variação aprendido na brincadeira, a proeza improvisacional que ela aprimora, que dá ao animal a vantagem no combate; ou, para citar outro exemplo, na fuga de um predador. Um gesto cuja forma é moldada como uma função de fim reconhecidamente instrumental é um gesto normatizado antes mesmo de sua execução, e um gesto normatizado é um

---

26 Burghardt argumenta contra a visão neodarwiniana dominante de que a brincadeira animal pode ser adequadamente explicada em termos de seu valor adaptativo: "[é] provável que as vantagens iniciais do incipiente comportamento análogo à brincadeira não envolvam nenhuma função particular, como o aperfeiçoamento de comportamentos posteriores, aumento de resistência ou facilitação da flexibilidade comportamental" (*The Genesis of Animal Play: Testing the Limits*. Cambridge: MIT Press, 2005, p. 172). Uma vez que a brincadeira excede qualquer funcionalidade particular, só pode ser inteiramente explicada, segundo ele, como uma função de "superávit". Como observa Brian Sutton-Smith, em seu prefácio ao estudo de Burghardt, "a brincadeira tanto se origina da quanto cria *recursos superavitários*" (Ibid., p. x). A "teoria dos recursos superavitários" de Burghardt é cuidadosa ao estabelecer que os recursos superavitários em questão não são adequadamente entendidos em termos de "energia" superavitária. Em outras palavras, não são quantificáveis (fisiologicamente), mas possuem um componente irredutivelmente qualitativo, atinente a fatores "mentais" e "emocionais" (Ibid., pp. 172-179).

gesto previsível. Se o aprendizado ficasse restrito à modelagem da forma de um ato instintivo antes de sua execução instrumental, seria perigosamente desadaptativo, moldaria os alunos para a morte. Ruyer sustenta que o poder de improvisar é uma dimensão necessária em qualquer instinto.

Não é a brincadeira que é moldada na forma do combate, é a forma do combate que é modulada pela brincadeira. Longe de a brincadeira estar servilmente subordinada às funções de suas arenas de atividade análogas, são essas funções que dependem, para sua funcionalidade contínua, dos poderes de variação natos da brincadeira. O sucesso na luta contra um inimigo ou na fuga de um predador é reforçado por um poder animal de improvisar imediatamente. Quando isso acontece, a função vital *capturou* o valor expressivo dos gestos e os canalizou para seus próprios fins instrumentais. De fato, é a ação instrumental que é parasitária em relação à brincadeira. A vida lucra com a mais-valia de vida produzida pela brincadeira, convertida em valor de sobrevivência. Captura: apenas uma atividade autônoma pode ser capturada. A brincadeira, e a expressividade à qual ela mesma se dedica, constitui um domínio autônomo da atividade vital, um domínio fundamentalmente insubordinado à lógica da adaptação, ainda que seja capturado de modo útil por ela em determinadas circunstâncias. Isso inverte a relação entre a brincadeira e suas arenas análogas. Em vez de brincar de forma servil em conformidade com elas, na realidade são variações nas formas que são inventadas pela brincadeira, daí secundariamente assumindo funções adaptativas.

Ruyer insiste que os poderes autônomos de variação estão presentes nas atividades instintivas de qualquer natureza.[27] Se o ato instintivo fosse aquilo que é considerado — uma

---

27 Ruyer, *La genèse des formes vivantes*. Paris: Flammarion, 1958, pp. 17-18; pp. 27-28.

sequência estereotipada de ações pré-moldadas executadas por reflexo à maneira de um automatismo —, então o instinto seria incapaz de responder a mudanças contingenciais no ambiente.[28] Variações contingenciais no ambiente precisam ser compatibilizadas através de variação, o que requer certa plasticidade criativa, uma margem improvisacional de manobra. Todo ato instintivo, independentemente de quão estereotipado em geral pareça ser, carrega uma margem de manobra. Todo instinto carrega em si um poder de variação, em um grau ou outro. Todo ato instintivo comporta um poder de variação que acreditamos ter o direito de chamar de "lúdico", no sentido mais amplo da palavra. Ou "estético", dada a natureza do rendimento produzido. A margem de manobra da brincadeira é o "estilo": a -esquidade que perfaz a possibilidade. Tudo isso nos obriga a reconhecer a expressão como uma operação vital tão primordial quanto o próprio instinto. Não há vida sem mais-valia de vida. Não há instrumentalidade sem expressividade. Adaptação nunca surge sem inventividade. Expressividade e inventividade são a ponta de lança da gênese das formas de vida. É através de suas margens de manobra que os parâmetros operacionais dos modos de existência são expandidos.

O próprio Darwin disse isso quando exaltou as proezas improvisacionais de suas adoradas minhocas, às quais dedicou um longo tratado. A operação do instinto, escreve ele, não pode ser equiparada a uma "simples ação reflexiva", como se o animal "fosse um autômato".[29] Prova disso é que o mesmo estímulo não conduz ao mesmo efeito, dependendo das variações

---

28 Ibid., p. 147.

29 Darwin, *The Formation of Vegetable Mould through the Action of Worms, with Observations on their Habits*. Nova York: Appleton, 1890, p. 24. Ainda sobre as minhocas de Darwin, cf. Bennett (*Vibrant Matter: A Political Ecology of Things*. Durham: Duke University Press, 2010, pp. 94-109).

contingenciais da situação. Em outras palavras, o instinto é sensível às relações entre os elementos particulares que compõem a situação vivida. Sua ação varia conforme a singularidade da situação. Todas as minhocas tapam a abertura de suas tocas, mas o modo de assegurar essa função instintiva invariável se diferencia de acordo com os materiais disponíveis, a forma como se apresentam, sua localização e sua configuração. "Se os vermes agissem somente por instinto [no sentido de] um impulso herdado invariável, eles iriam todos [tapar suas tocas] da mesma maneira".[30] Ao contrário, "vemos um indivíduo lucrar com a sua experiência individual" ao improvisar uma solução que é adaptada não à generalidade da situação, mas à sua *singularidade*.[31] Essa capacidade, observa Darwin, evidencia um "poder mental": um poder de abstração.[32]

Não há razão para considerar esse poder de abstração um tipo de reflexividade. A situação geral (tapar o buraco) é refletida na singularidade vivida (tapar *este* buraco *assim*, aqui e agora). Essa é uma reflexividade vivida, uma reflexividade com os gestos inventivos que a expressam. Ruyer, como Bergson, estende esse poder mental não cerebral até chegar às amebas, ou mesmo às células individuais que compõem corpos animais multicelulares.[33] "Seria tão absurdo", escreve Bergson,

---

30 Darwin, *The Formation of Vegetable Mould through the Action of Worms* op. cit., pp. 64-65.

31 Ibid., p. 95.

32 Ibid., pp. 25, 34-35.

33 Ruyer, *La genèse des formes vivantes* op. cit., pp. 103-106. Whitehead também deveria ser adicionado à lista: "a vida espreita nos interstícios de cada célula viva" (*Process and Reality*. Nova York: Free Press, 1978, p. 105). E, em sua filosofia, toda ocasião da vida é considerada como tendo um "polo mental" (falaremos mais sobre isso adiante). O biólogo Brian J. Ford argumenta que as células dos animais multicelulares são dotadas de inteligência ("On Intelligence in Cells: The Case for Whole Cell Biology". *Interdisciplinary Science Reviews* nº 34 v. 4, 2009, pp. 350-365).

"recusar a consciência a um animal, pelo fato dele não ter cérebro, quanto declará-lo incapaz de se alimentar pelo fato de não ter estômago."[34] Portanto, mesmo num estágio evolutivo de antes de a brincadeira reclamar as próprias arenas de atividade independentes — e de registrar essa diferença, como sua própria, na -esquidade —, já havia um elemento de brincadeira em todos os atos instintivos. Todos eles são capazes de afirmar uma força expressiva de variação, bem como um poder de singularização que gera mais-valias de vida. Todo ato, até o mais instrumental, é margeado por expressividade improvisacional. O instinto não é limitado à repetição automática do arco reflexo disparado por um traço de memória herdado. Este é um aspecto do instinto. Mas é necessário lembrar que cada repetição "estereotipada" de um ato instintivo é capaz de formar potencialmente um arco na futura direção improvisada da gênese das formas de vida, da expressão de novas variações sobre os modos de atividade constitutivos da vida.

34 Bergson, *A evolução criadora*, trad. bras. de Bento Prado Neto. São Paulo: Martins Fontes, 2005, p. 120. Que os poderes mentais podem residir fora do cérebro já foi verificado através de experimentos. Mostrou-se que amebas — as quais, enquanto criaturas unicelulares, são perfeitamente desprovidas de cérebro — têm memória e podem antecipar o futuro (Saigusa et ali., "Amoebae Anticipate Periodic Events". *Physical Review Letters* v. 100, n° 1, 2008, pp. 1-4). Poderes mentais extracerebrais também foram demonstrados em animais multicelulares. Platelmintos, que têm o invejável poder de regenerar seus cérebros, foram treinados para realizar uma tarefa. Foram, então, decapitados. E quando seus cérebros cresceram de volta, lembraram-se da tarefa que lhes foi ensinada antes de terem perdido as cabeças (Shomrat e Levin, "An Automated Training Paradigm Reveals Long-term Memory in Planaria and Its Persistence through Head Regeneration". *Journal of Experimental Biology*, 2013). O instinto, claro, envolve um modo de memória, que Ruyer chama de "traço mnêmico" e que é reativado por um estímulo (Ruyer, *La genèse des formes vivantes* op. cit., pp. 113-115). É a diferença entre o traço mnêmico e a singularidade da situação presentemente vivida o que inaugura uma diferença mínima que coloca uma margem de brincadeira até na mais básica ação instintiva, conferindo a toda percepção um elemento da brincadeira (cf. suplemento 2). A brincadeira alavanca ainda mais essa abertura por meio da esquidade.

Ruyer, Bergson e Bateson consideram esse poder de mentalidade expressiva como a vanguarda da evolução.[35] Ele é o próprio motor da evolução, responsável por inventar as formas que vêm a ser selecionadas como adaptativas. Bergson argumenta que essa força inventiva de variação opera até mesmo quando as forças de mutações contingentes estão em ação. Uma mutação em um elemento requer que os elementos adjacentes se reconfigurem ao seu redor. Os elementos reminiscentes improvisam-se numa nova integração ao redor da mudança, de um modo que não pode ser consagrado ao acaso ou explicado por princípios puramente mecanicistas, que operam em termos locais, parte a parte. Mas uma integração é justamente isto: integral. Isto é, diz respeito à coordenação e à correlação de todas as partes ao mesmo tempo, em sua maneira de convergir.[36]

---

35 Burghardt (*The Genesis of Animal Play* op. cit.) também reconhece a brincadeira como o motor da evolução: "reconhecemos agora que a brincadeira pode ser vista tanto como um produto como uma causa da mudança evolutiva; isto é, que as atividades lúdicas podem ser uma fonte de funcionamento comportamental e mental aperfeiçoado, assim como um subproduto de acontecimentos evolutivos precedentes" (p. 121). Seu caráter superavitário faz da brincadeira "tanto um detrito evolutivo quanto um propulsor evolutivo" (p. 180) — sempre em excesso.

36 Bergson, *A evolução criadora* op. cit., pp. 66-76. Ford ("On Intelligence in Cells" op. cit.) usa argumentos similares em seu estudo de caso sobre inteligência celular, e eles são um traço comum de teorias que buscam contrabalancear a hegemonia do fundamentalismo mecanicista neodarwiniano (cf. nota 2 para mais referências). Sobre a importância evolutiva dos "todos integrados", cf. o clássico texto de Stephen Jay Gould e Robert Lewontin, "The Spandrels of San Marco and the Panglossian Paradigm: A Critique of the Adaptationist Programme". *Proceedings of the Royal Society of London*. Série Biological Sciences, v. 205, nº 1161, 1979, pp. 581, 591, 594. A abordagem da evolução *via* sistemas complexos feita por Susan Oyama também enfatiza a composição relacional conjunta: "no que doravante referiremos como seletividade recíproca de influências, ou mútua dependência de causas, não somente todo um conjunto de influências contribui com todo e qualquer fenômeno dado, mas o efeito de todo e qualquer interagente também depende tanto de suas próprias qualidades quanto das de outros, geralmente em

A expressividade improvisacional do instinto que lhe confere o poder integral para gerar mais-valia de vida deve ser reconhecida como um modo de atividade nato e autônomo, irredutível aos modos funcionais que o capturam. A diferença, mínima que seja, entre funcionalidade e expressividade, entre instrumentalidade e atividade estética, vigora sempre e por toda parte. Por natureza, a atividade em sua dimensão expressiva está em excesso com relação às funções normalizadas das formas gerais de atividade já adaptadas à sobrevivência. O instinto, em seu aspecto de atividade expressiva, tem uma tendência inata a superar o normal, por força do entusiasmo do corpo. Ele é animado por um ímpeto imanente rumo ao *supernormal*.

Os pioneiros estudos de Niko Tinbergen sobre o instinto, que auxiliaram na criação das bases para disciplina da etologia, não saíram incólumes disso tudo. Desde o início, Tinbergen notou uma pronunciada tendência da atividade instintiva a favorecer o que chamou de "estímulos supernormais".[37] Tomando como ponto de partida o modelo padrão do instinto como estímulo-resposta operando estritamente por reflexo, Tinbergen decidiu investigar quais propriedades particulares de determinados estímulos instintivos funcionavam como

---

complexas combinações" (Oyama, *The Ontogeny of Information: Developmental Systems and Evolution*. Durham: Duke University Press, 2000, p. 18). Há um elemento emergentemente performativo e improvisacional na origem dessas "combinações complexas" integrais porque os "padrões não existem como tais antes de serem realizados" (p. 35). A biologia molecular corroborou recentemente o ponto de vista de Bergson, movendo seu foco de atenção para variações imanentemente conectadas na rubrica de "mutações secundárias". Isso remete a uma mutação randômica que causa "efeitos secundários em algum lugar do genoma" de modo a "impelir a seleção a novas mutações, mesmo na ausência de pressões de seleção ambientais deliberadas" (Vence, "One Gene, Two Mutations." *The Scientist Magazine*, 2013.).

37 Niko Tinbergen, *The Study of Instinct*. Oxford: Oxford University Press, 1951, pp. 44-47.

gatilhos. Por exemplo, entre as gaivotas-prateadas, um ponto vermelho no bico da fêmea serve, em circunstâncias normais, como o gatilho para alimentação.[38] O ponto atrai as bicadas do filhote, o que estimula o adulto a regurgitar o cardápio. A fim de pesquisar exatamente qual qualidade perceptual constituía o gatilho, Tinbergen se pôs a construir uma série de engodos em forma de bicos apresentando um espectro de características variáveis. Seu objetivo era isolar as propriedades precisas essenciais ao comportamento instintivo. A fim de entender os parâmetros do comportamento, estendeu o espectro de variação apresentado muito "além dos limites do objeto normal".[39] Para sua enorme surpresa, não conseguiu isolar quaisquer propriedades particulares que pudesse apontar como essenciais. Até mesmo um ponto cinza, em determinadas configurações, era capaz de enganar. Para sua consternação, Tinbergen descobriu de modo ainda mais surpreendente que, entre os engodos que produziam a resposta mais entusiasmada por parte do filhote, estavam aqueles que *menos* lembravam a forma normal do bico da gaivota-prateada fêmea. O entusiasmo do corpo da jovem gaivota premia ardentemente para além do normal.

Tinbergen concluiu que a sequência instintiva de ações não dependia, de fato, de nenhuma propriedade isolável que pertencesse quer à forma do estímulo presumido, quer ao terreno no qual ele se perfilava. "Não há uma distinção absoluta entre signos-estímulos efetivos e propriedades não efetivas do objeto".[40] O que provocou resposta não era inteligível

38 N. Tinbergen e A. Perdeck, "On the Stimulus Situation Releasing the Begging Response in the Novaly Hatched Herring Gull Chick" in *Behavior* v. 3, nº 1, 1950, pp. 1-39.

39 N. Tinbergen, *Animal Behavior*. Nova York: Time-Life Books, 1965, p. 68.

40 Tinbergen, *The Study of Instinct* op. cit., p. 42.

em termos de propriedades isoláveis, mas irredutivelmente *relacional*. "Tais estímulos 'relacionais' ou 'configuracionais'", ele refletiu, "parecem ser a regra e não a exceção".[41] Aquilo a que o filhote de gaivota-prateada respondia, conclui ele, era um efeito de *intensificação* produzido por deformações que afetavam integralmente todos os elementos presentes em suas relações uns com os outros. Deformações integralmente conectadas são competência da topologia. O que Tinbergen havia descoberto era uma *topologia da experiência* na qual os diversos elementos em jogo são juntamente varridos na direção das próprias variações integrais, num estado dinâmico de mútua inclusão.[42]

---

41 Ibid., p. 68.

42 Para uma análise extensa dos estímulos supernormais e das variáveis experienciais integralmente conectadas, cf. Massumi "Ceci n'est pas une morsure. Animalité et abstraction chez Deleuze et Guattari". *Philosophie*, nº 112, 2011, pp. 67-91; e, embora menos aprofundado, "The Supernormal Animal" in Richard Grusin (org.), *The Nonhuman Turn*. Minneapolis: University of Minnesota Press, 2015. O *Supernormal Stimuli*, de Deirdre Barret (Nova York: Norton, 2010), um recente *best-seller* de divulgação científica, é um ensinamento concreto sobre todos os sentidos nos quais *não* utilizaremos esse conceito — além de se apresentar como um argumento nos moldes de uma *reductio ad absurdum* contra a sociobiologia em que está baseado, no qual ele conduz as tendências inerentes à disciplina em direção à sua embaraçosa conclusão lógica. Respondemos a estímulos supernormais, segundo o argumento, porque certa vez eles tiveram uma função útil, e a predileção por eles ainda perdura em nossos genes. Mas no nosso ambiente moderno eles se tornaram perigosamente desadaptativos. Considere o hambúrguer supernormal. Nosso gosto excessivo pelas calorias vazias oriundas da gordura e dos carboidratos fazia sentido adaptativo na Era Paleolítica, quando a energia proveniente da comida era escassa. Agora, a última coisa de que precisamos são calorias vazias. Mas nos tornamos culturalmente viciados nelas e em outras tendências supernormais, estendidas de forma artificial para além de suas utilidades evolutivas em épocas anteriores. Com a função adaptativa natural perdida, eles foram cooptados pela cultura. A resposta aos estímulos supernormais é agora "artificial"; seu encanto, puramente "ilusório". Antes um gigante bife de mamute era um reforço de energia emergencial. Hoje o Big Mac gigante é uma ponte de safena. O rendimento estético que derivamos dessas atrações não é um valor de vida. É a morte coberta de picles, matando-nos pão a pão. A epidemia de obesidade é

Para Tinbergen, isso ficou apenas como um episódio curioso que não o induziu a alterar seu modelo. O animal, para ele, continuou sendo uma máquina, ainda que "de grande complexidade" e bastante incerta, como um "caça-níqueis".[43] Sua conclusão sobre os estímulos supernormais? Com mais do que um indício de irritação com os animais não cooperativos, ele observou: "Ninguém nunca foi muito capaz de analisar tais questões, ainda que, de algum modo, tenham sido consumadas".[44] É precisamente o "algum modo" dessa consumação dos bebês pássaros em frustrar as expectativas assimiladas do cientista que precisa ser retido e integrado às nossas noções de "animalidade". O fracasso das suposições mecanicistas da teoria tradicional em explicar a complexidade produtora de incerteza do comportamento instintivo não pode ser compensado com uma viagem para Las Vegas.

---

um resultado direto do fato de nossa tendência supernormal ter sido retirada de seu ambiente natural. Então é guerra. É o estímulo supernormal da batida no peito do macho agora artificialmente bombado que, similarmente desenraizado de seu valor tribal de sobrevivência, está nos matando coletivamente, em massa. Nossa tendência supernormal nos fez desviar das "coisas reais" da vida. Temos de voltar à real. Temos que lutar contra as nossas tendências supernormais. Temos de reinar sobre elas. Temos de mobilizar contra elas a mesma cultura que as deixou seguirem em frente. Temos de usar a cultura para retirar a cultura de baixo das mortalhas das tendências supernormais que ela transmite, fazendo com que voltemos à conformidade funcional com nossa "verdadeira natureza humana". A cultura deveria ser a serva natural da normatividade. A normatividade deveria ser culturalmente maquinada para reinar suprema naturalmente. Precisamos instalar uma atualização instintual em nós mesmos: Homem das Cavernas 2.0. Esse uso de um estilo de vida paleolítico imaginado (repleto dos mais arcaicos estereótipos de gênero) como parâmetro para o que é "naturalmente humano", e equiparando "cultural" e "antinatural" e desviante, é o esteio da literatura sociobiológica. Para uma crítica clássica da sociobiologia, cf. Lewontin, Rose e Kamin, *Not in Our Genes* op. cit., pp. 233-264.

43 N. Tinbergen, *Animal Behavior* op. cit., p. 68.

44 Ibid.

A fim de fazer um balanço total do que os estímulos super-normais nos dizem acerca do instinto, a complexa incerteza que eles revelam no cerne do instinto precisa ser construída em termos positivos. A capacidade de produzir resultados inesperados que não se relacionam de modo linear a *inputs* discretos e isoláveis é um aspecto essencial do instinto. Deve-se reconhecer que os movimentos instintivos são animados por uma tendência a superar as formas dadas, movidos por um ímpeto à criatividade; esse ímpeto imanente à criatividade tem de ser reconhecido como um poder mental, com mentalidade definida nos moldes neo-humeanos — em termos de *capacidade de superar o que está dado*. O motor dessa superação não é o reconhecimento de uma forma dada, mas sim a deformação integral das qualidades da experiência indissociavelmente conectadas: a produção espontânea daquilo que Deleuze e Guattari chamam de "blocos de sensação".[45] Nenhuma causa eficiente pode ser isolada como sendo a que empurra por trás esse movimento de autossuperação da experiência. A comparação com a jogatina não é totalmente descabida. Há um elemento, não tanto de acaso mecanicista, mas — para tomá-lo positivamente — de *espontaneidade*. Ruyer dá muita importância ao fato de que um instinto pode disparar a si mesmo, mesmo na ausência de qualquer estímulo. Ele caracteriza essa habilidade como "alucinatória", no sentido em que é "diretamente improvisada" no percepto.[46] Essa capacidade de improvisação espontânea,

---

45 Sobre blocos de devir, cf. Deleuze e Guattari, *Mil platôs*, v. 4, op. cit., capítulo "Devir-Intenso, Devir-Animal, Devir-Imperceptível"; e *Kafka: por uma literatura menor* op. cit., item 3, "Montagem". Sobre o conceito associado, blocos de sensação, cf. Deleuze e Guattari, *O que é a filosofia?*, trad. bras. de Bento Prado Júnior e Alberto Alonso Muñoz. São Paulo: Editora 34, 1992, item "Percepto, afecto e conceito". Gould e Lewontin ("The Spandrels of San Marco" op. cit., p. 597) utilizam a expressão "blocos de desenvolvimento integrados".

46 Ruyer, *La genèse des formes vivantes* op. cit., pp. 146-147.

continua ele, deve ser considerada uma dimensão necessária de todo instinto. Outra palavra para esse poder alucinógeno nato é a utilizada por Hume: imaginação. Seja qual for o nome, não estamos lidando com um caça-níqueis, mas sim com *um primeiro grau de mentalidade* no *continuum* da natureza.[47]

47 Sobre a mentalidade definida em termos da capacidade de ultrapassar o que está dado, cf. a análise feita por Deleuze da teoria do conhecimento de Hume em *Empirismo e subjetividade*, trad. bras. de Luiz B. L. Orlandi. São Paulo: Editora 34, 2001, pp. 14-30). Deleuze enfatiza que o que é transcendido é *a própria mente*: o movimento de mentalidade, que começa na atividade infraindividual da imaginação e avança em direção a uma invenção supraindividual de instituições, não pode ser contido na interioridade de uma mente entendida como uma faculdade individual. Para o Hume de Deleuze, isso constitui o devir da natureza humana. Aqui o qualificativo "humano" é abandonado. A capacidade de ultrapassar o que está dado é construída como um poder mental da *natureza* que passa pelas vidas individuais. Nisso, ela ultrapassa Hume e desemboca no "polo mental" de Whitehead. Para Whitehead, a mentalidade é um fator derradeiro da natureza, conjuntamente constitutivo de toda ocasião. Ele também fala da atividade do polo mental como algo que ultrapassa o que está dado, definindo-a em termos de origem de inovação ("uma centelha de inovação em meio às apetições") e de "aumento de intensidade" (Whitehead, *Process and Reality* op. cit., p. 184). Ele utiliza "apetição" como um sinônimo para a atividade do polo mental, ao qual ele também confere o termo técnico "preensão conceitual" (p. 33): "as operações básicas da mentalidade são 'preensões conceituais' (p. 33). Ele oferece, como outras palavras para essa capacidade de transcender o que está dado em direção à produção do novo, "intuição" – no sentido bergsoniano (com algumas reservas) - e "vislumbre" (pp. 33-34). Bergson também define a mentalidade nos termos de uma força capaz de superar o que está dado. "Visivelmente, diante de nós trabalha uma o força que procura [...] superar a si mesma, dar primeiro tudo o que tem e em seguida mais do que tem: como definir de outro modo o espírito? e em que a força espiritual [...] se distinguiria das outras, senão pela faculdade de tirar de si mais do que contém?" (Bergson, *A energia espiritual*, trad. bras. de Rosemary Costhek Abílio. São Paulo: WMF Martins Fontes, 2009, pp. 20-21). Por fim, em seu clássico estudo sobre a brincadeira como um reino de atividade distinto na cultura humana, Huizinga faz uma pontuação similar a respeito da mentalidade, especificamente no que se refere à brincadeira: o jogo "só se torna possível, pensável e compreensível quando a presença da mente destrói o determinismo absoluto do cosmos" (Johan Huizinga, *Homo Ludens: o jogo como elemento da cultura*, trad. bras. de João Paulo Monteiro. São Paulo: Perspectiva, 2000 p. 6). Huizinga também se distancia tanto das conotações substantivistas da palavra "mente" quanto das noções redutoras de "instinto: "Não se explica nada chamando de 'instinto' ao princípio ativo que constitui a essência do jogo; chamar-lhe 'mente ou 'vontade' seria dizer demasiado" (Ibid., p. 4).

No seu fracasso em fixar instinto a uma dadidade objetiva de uma causa eficiente, o etologista nos conduziu, a despeito de si mesmo, ao afloramento natural do qualitativo e do subjetivo como um fator na natureza: aos blocos improvisacionais de sensação indicativos de um poder mental de superar espontaneamente o que está dado. Não há nada "por trás" dessa tendência direcionada ao supernormal que seja uma dimensão inescapável do instinto. O supernormal exerce uma força positiva que, em vez de impulsionar por trás, nos moldes de uma força mecanicista que encontra resistência (ainda que minimizada por engrenagens bem lubrificadas), puxa positivamente pela frente. A tendência supernormal é uma força atrativa que puxa a experiência para a frente, em direção ao próprio limite — o da paixão espontânea pela mútua inclusão do diverso, em transformação integral.

O próprio Tinbergen diz isso. Um filhote de cuco, explica ele, possui traços supernormais que encorajam a fêmea de outras espécies, cujo ninho o cuco parasita, a colocá--lo debaixo da asa e nutri-lo. A fêmea hospedeira, ressalta Tinbergen, não "quer" alimentar o invasor. Não, ela "adora" positivamente fazê-lo.[48] E não o faz com má vontade, mas positivamente, com paixão. A força do supernormal é uma força positiva. Longe de ser uma *im*pulsão mecanicista, é uma *pro*pulsão apaixonada. Propulsão espontânea/ poder mental de superar o que está dado: *apetição*.[49] Ruyer usa o termo autocondução para essa autopropulsão da vida animal imanente ao movimento do instinto.[50] O instinto testemunha a

48 Tinbergen, *Animal Behavior*, op. cit., p. 67.

49 Whitehead, *Process and Reality* op. cit., p. 33.

50 Ruyer, *La genèse des formes vivantes* op. cit., pp. 17, 214; *Le néo-finalisme* op. cit., pp. 127-192.

autocondução do movimento criativo da vida: a autonomia autoexpressiva da criatividade vital.[51]

Eis a lição spinozista do cuco e da gaivota-prateada: o entusiasmo do corpo animal tem seu poder mental de apetição,[52] cuja propulsividade aventa uma autonomia expressiva avançada pelos gestos vitais da brincadeira do instinto.

É fácil ver as vantagens evolutivas de uma tendência supernormal: é algo que dá ao instinto uma margem criativa de manobra. O empuxo do supernormal em direção à variação relacional das atividades de formas de vida predispõe o animal a uma aceitação entusiástica das variações emergentes. A paixão da apetição move adiante, rumo a variações das formas de vida, na contracorrente das pressões adaptativas que fazem com que a seleção final e irrevogável esteja de acordo com as necessidades de sobrevivência. Não há dúvida de que o meio ambiente exerce uma pressão seletiva. A adaptação é, de fato, a lei dos meios externos. A lição da tendência supernormal é a de que há mais nos modos da natureza do que comportamento cumpridor da lei. O instinto opõe à lei de adaptação seletiva um poder de improvisação mais que ávido para responder ao chamado de conformidade a demandas

---

51 Darwin nota a "veleidade" e o "amor pelo novo" até nos animais inferiores: "os animais inferiores são [...] caprichosos em suas afecções, aversões e senso de beleza. Há também uma boa razão para suspeitar que eles amam o novo por si só" (Darwin, *The Descent of Man, and Selection in Relation to Sex*, v. 1. Londres: John Murray, 1871, p. 65).

52 "Sem dúvida, tudo isso mostra com clareza que tanto o decreto da Mente quanto o apetite e a determinação do Corpo são simultâneos por natureza, ou melhor, são uma só e mesma coisa que, quando considerada sob o atributo Pensamento e por ele explicada, denominamos decreto e, quando considerada sob o atributo Extensão e deduzida das leis do movimento e do repouso, chamamos determinação" — Espinosa, *Ética*, Parte III, Proposição II (Espinosa, *Ética*, trad. bras. Grupo de Estudos Espinosanos, coord. Marilena Chauí. São Paulo: Edusp, 2015, pp. 245-247).

externas numa virada supernormal. O instinto toma a liberdade de inventar as soluções propostas. Não se contenta em encontrar suas soluções já traçadas no esboço negativo das restrições ambientais. Dada a escolha entre a conformidade às demandas limitativas da adaptação e a morte, ele inventa uma terceira via: a invenção do excesso de um mais-viver. Uma inventividade imanente à topologia da experiência, com suas qualidades vividas, em sua vanguarda mais subjetiva, responde espontaneamente às pressões adaptativas. A essa inventividade imanente alguns dão o nome de "desejo".[53]

Obviamente, a evolução nunca escapa da seleção adaptativa. Não é assim tão preto no branco. Mas não é exatamente essa a questão. O problema é a fundamentação do princípio neodarwiniano segundo o qual a única força natural de variação que contribui para a gênese das formas de vida é a de mutação. A mutação é puramente acidental, assim como as mudanças ambientais que passam a exercer pressão seletiva sobre as variações que as mutações produzem. Como um conceito, o acidental se refere a relações extrínsecas entre elementos discretos que operam de acordo com leis puramente mecanicistas que sofrem uma pane: causalidade eficiente temporariamente fora de serviço. Acidentes ocorrem pontualmente, ao acaso. A espontaneidade, ao contrário, diz respeito às variações qualitativas que ocorrem integralmente como um bloco.

A espontaneidade tem uma lógica, mesmo em sua recusa em cumprir a lei. Ela segue a lógica constitutivamente aberta da intensificação relacional, na direção da emergência de

---

53 Sobre o desejo como um princípio imanente e autocondutor produtor do real, cf. Deleuze e Guattari, *O anti-Édipo*, trad. bras. de Luiz B. L. Orlandi. São Paulo: Editora 34, 2010. "Se o desejo produz, ele produz real. Se o desejo é produtor, ele só pode sê-lo na realidade, e de realidade" (p. 43).

novas formas. Paralelamente à mutação, há outro fator para a origem da variação: um poder de artifício experiencial não menos imanente à natureza do instinto do que o instinto é imanente à natureza. Diante do acidente, o instinto está apto a se replicar sobre a própria autocondução, a própria propulsividade de autovariação.[54] Ao enfrentar uma mudança no meio ambiente que exerce uma pressão seletiva, ele retorna à sua própria margem de manobra, levado adiante em seus gestos performativos. O instinto opõe à conformidade demandada pelas pressões seletivas de adaptação um poder imanente de invenção supernormal. A ação instintiva joga a própria criatividade natural contra as condições limitantes do meio externo. Se uma ação instintiva é induzida por um estímulo externo ou uma situação de necessidade externa, ou acontece na ausência de ambos, há um grau de liberdade "alucinatória" nas variações deformativas que ela desempenha. O instinto, enfatiza Bergson, não é apenas acionado, ele é *atuado*.[55] Atua a si mesmo ao brincar. É sempre a atuação de ato verdadeiro, nunca apenas um estereótipo de ação. O elemento supernormal e inerente do dinamismo instintivo faz com que a diferença entre atuar e encenar seja mínima.

Ao se replicar na própria intensidade de variação autocondutora, o lúdico do instinto deixa uma margem de brincadeira nas lacunas, nas interações entre indivíduos ou entre o indivíduo e o ambiente. As duras necessidades da vida e a lei de seleção adaptativa associada não contam toda a história.

---

54 Essa replicação num poder imanente de invenção é a "involução criativa" com a qual Deleuze e Guattari suplementam a "evolução criativa" de Bergson (Deleuze e Guattari, *Mil platôs*, v. 3 op. cit., pp. 27-28; *Mil platôs*, v. 4 op. cit., pp. 18-20).

55 Bergson, *A evolução criadora* op. cit., pp. 158, 195. Em francês, *joué* — que, assim como a palavra inglesa *play*, também se refere à dramatização, como em *playing a role* [encenar um papel]. Na edição inglesa está traduzido como *acted* [atuado].

Sempre há brincadeira em qualquer mecanismo, e o instinto não é uma exceção. Nas palavras de Ruyer, há sempre uma "borda fortuita" de espontaneidade impelindo a autonomia criativa da expressão.[56]

Voltemos à faminta gaivota-prateada. Se a tendência do filhote à improvisação tem um efeito insignificante na eficácia do comportamento de alimentação, seus gestos supernormais serão destinados a recuar na imanência da natureza de onde vieram. Fim da história: serão indiferentes ao sucesso reprodutivo da espécie, e não serão passados para a frente na linha evolutiva. Mas não é inconcebível que a improvisação entusiástica do filhote acerte em cheio a paixão do adulto, resultando no aumento da avidez com que ele alimenta sua cria. Esse aumento na eficiência do comportamento de alimentação aumenta o sucesso reprodutivo dos pássaros. A improvisação e tudo o que se prestou à sua invenção na constituição instintiva do filhote, na sua relação apetitiva com o que seu entorno oferece ao longo do caminho das disposições intensificadoras de experiência, podem então ser passados adiante pelas forças de pressão seletiva. A exceção imaginativamente subjetiva acaba se tornando a regra biológica. O supernormal normaliza. A tendência à supernormalidade terá efetivamente contribuído para a gênese evolutiva de uma variação duradoura de uma forma de vida.

Adaptabilidade e criatividade convergem, sem que a diferença entre elas se apague. No processo de evolução, suas operações tendenciais se interlaçam sem perder sua distinção. Fundem-se, efetivamente, sem coalescer. Ontogeneticamente falando — isto é, do ponto de vista da gênese das formas, da origem de suas variações — cumpre dizer que a primazia está

---

56 Ruyer, *La genèse des formes vivantes* op. cit., p. 142.

do lado do elemento criativo no instinto, como o motor mental do movimento do devir das formas da vida. Isso porque a tendência supernormal corporaliza um desejo de variação positivo. É através dessa tendência que o apetite pela vida *afirma* a variação. Na natureza, "o fato inicial é a apetição primordial".[57] A adaptação dá passagem à tendência supernormal, de modo que ela siga no caminho — ou não. A adaptação seletiva exerce um controle de fiscalização cujo poder vem da imposição de restrições extrínsecas e que assume a forma de uma sentença de vida ou morte. Impõe a lei daquilo que está dado como uma necessidade de sobrevivência. O controle final que exerce sobre o que passa ou não passa em termos de novas variações equivale a um julgamento normativo. Equivale a um teste de conformidade, um teste de aptidão no que se refere às leis de necessidade construídas em condições já dadas. Ainda assim, a longo prazo, o que ganha é o poder improvisacional da variação supernormal que ultrapassa o que está dado, rumo a um excesso de qualidade vivida. Sua propulsividade toma a primazia como originadora das formas de vida submetidas ao julgamento normativo da seleção adaptativa. Para corroborar a excessividade desse ímpeto inventivo, basta dar uma olhada na exuberância sem limites da natureza em qualquer lugar onde possa ser observada, da qual o entusiasmo do corpo do gesto instintivo é a expressão exemplar. A história da evolução é uma louca proliferação de formas, tão fértil que desafia a imaginação humana.

Uma filosofia da natureza deve levar em conta essa primazia da expressividade autovariante, bem como sua autonomia processual enquanto tendência autocondutora. Sua primazia deve ser reconhecida mesmo onde a vida animal é mais

---

57 Whitehead, *Process and Reality* op. cit., p. 48.

firmemente enraizada no enquadramento de seu ambiente, com todos os acidentes e imperativos que vêm com isso. Muitos animais se enraízam num *território*. A ocupação proprietária de um território fornece aos instintos um meio exclusivo para o seu desdobramento, mas sob condições muito particulares. Agressão interespecífica, gregaridade interespecífica e comportamento de cortejo são, todos, funções territoriais — assim como, aliás, o comportamento de alimentação do cuco e da gaivota, que pressupõe um ninho. A partir da perspectiva aventada aqui, nosso entendimento de funções territoriais deve levar em conta os modos nos quais o desdobramento dos comportamentos instintivos enraizados podem, não obstante, superar sua ancoragem funcional. O cortejo, a função territorial em torno da qual orbita a maior parte das discussões sobre a exuberância evolutiva, seria apenas um caso particular. A brincadeira, uma vez mais, proporciona o ângulo de ataque privilegiado.

A brincadeira, como uma atividade independente em seu próprio direito, pressupõe o território. O território está entre suas condições necessárias. Os filhotes de lobo só podem se permitir se entregar à brincadeira quando estão próximos do covil que lhes confere proteção contra os predadores, até que estejam grandes o bastante para se tornarem, eles próprios, predadores. Mas a brincadeira não é apenas condicionada pelo território, é uma operação *no* território. É uma operação de abstração vivida na qual as funções territoriais são, ao mesmo tempo, ativamente convocadas para um novo efeito e paradoxalmente colocadas em suspenso.

Em sua discussão acerca da dimensão metacomunicacional da brincadeira, Bateson ressalta que é a reflexividade da brincadeira que inventa a famosa distinção entre o mapa e o território. É essa diferenciação, afirma ele, que cria as condições para a emergência da linguagem. A linguagem se distingue pela capacidade reflexiva de se dobrar — de replicar suas operações sobre si mesmas, de comentar a respeito daquilo que se faz ao fazê-lo. O redobramento metacomunicacional permite que a linguagem mapeie as próprias operações, imanentes ao seu exercício. Os mesmos atos verbais que produzem a distinção entre o nível comunicacional e o metacomunicacional fazem com que esses níveis colapsem entre si: você não pode falar sobre a linguagem sem utilizá-la. É num só e mesmo gesto que a distinção entre os níveis de linguagem é estabelecida, e que esse distanciamento reflexivo da linguagem em relação consigo mesma recai na imanência, na imediatez do próprio ato de enunciação que produz a distinção. Isso é verdade não só em relação a declarações que comentam explicitamente sobre a função da linguagem. O humor é um bom exemplo da operação da linguagem piscando para si mesma. Entretanto, todo ato de linguagem inclui esse elemento reflexivo em algum nível. Toda declaração tem um papel fático, definido como o esforço em estabelecer ou continuar a comunicação. Todo ato de linguagem performativamente metagesticula para a própria vocação comunicativa. A diferença entre os níveis de linguagem é duplicada por uma zona de indiscernibilidade entre eles. Essa zona é sua mútua inclusão no mesmo *ato* de linguagem. Os níveis denotativo e reflexivo, comunicação e metacomunicação, o mapa e o território, são ativamente coimplicados em qualquer gesto, incluindo, paradoxalmente, aqueles que os isolam. Os níveis se entrelaçam em pressuposição recíproca, no próprio ato que produz sua distinção, numa espécie de vaivém instantâneo através de sua diferença. A brincadeira, entendida num sentido mais amplo, é o que inventa essa dinâmica. Num sentido mais estrito, como uma arena de atividade em seu direito próprio, é o que mais desenvolve a invenção, brincando intensamente com a diferença entre o mapa e o território para extrair disso uma nova mais-valia de vida.

A linguagem humana conduz a reflexividade do ato comunicativo e de seus poderes cartográficos ao seu poder animal mais elevado. Ao mesmo tempo, as possibilidades lúdicas da vida são conduzidas a um poder maior, potencializadas pelo vaivém instantâneo entre os níveis lógicos, entre os domínios díspares de experiência e entre os domínios da experiência e os movimentos criativos através dos quais eles se superam. Dos trocadilhos mais infames a mais exaltada poesia, passando por todo tipo e nível de humor e de uso figurado — para não mencionar os formalismos explicitamente dedicados ao mapeamento operacional —, a linguagem está sempre ocupada flexionando suas capacidades reflexivas, e ocupada também em brincar com elas.

A brincadeira animal desliza essa reflexividade para dentro do gesto não verbal. Uma sequência de gestos combatescos projeta a forma do combate; repete a forma dinâmica do combate sem o combate. Ao fazê-lo, constitui uma *cartografia enativa* diretamente vivida. Não é uma cartografia que se limita a se conformar aos contornos dados da forma dinâmica que delineia, mas que vai além, improvisando sobre a forma dada. Prolonga as linhas gestuais com as quais extrai o mapa vivido da forma dada através de acréscimos estilísticos e excessos que introduzem o jamais visto. A novidade floresce no terreno da vida. Esse tipo de cartografia *cria* o território que mapeia, em novas variações que emergem numa arena de atividade já existente. Nesse modo lúdico de reflexividade, é essencialmente o futuro que é encenado. O gesto lúdico inclui o combate e a brincadeira, um no outro, a fim de estabelecer um vaivém instantâneo entre o presente e o futuro.

É evidente que esses prolongamentos para a frente das formas dinâmicas de vida podem varrer a forma do próprio território em movimentos de devir. Vimos que os estímulos supernormais que são a paixão das gaivotas-prateadas compreendem blocos relacionais de qualidades experienciais cujo acoplamento integral não respeita a distinção entre figura e fundo e que não são atribuíveis a nenhuma propriedade isolável de nenhum deles. Não é difícil imaginar a tendência supernormal do filhote atrelando-se ao elemento estrutural do ninho. Não é inconcebível que essa pressão deformacional possa, em longo prazo, levar a uma vantagem adaptativa associada a uma variação no planejamento do ninho que acabe passando pelo crivo da seleção, tudo como efeito secundário da autocondução apetitiva dos animais. Nesse caso, o poder mental da brincadeira terá modificado o mapa físico do território.

Voltando à brincadeira no sentido estrito, o vaivém instantâneo que ela efetua entre presente e futuro trabalha as pernas de modo a serem capazes de outro alcance — o de a inventividade da brincadeira de luta se prolongar na forma do próprio combate, atravessando a zona de indiscernibilidade da sua mútua inclusão. As variações no combate que são improvisadas na brincadeira podem muito bem conduzir a uma evolução de sua forma dinâmica. Essa é a ideia, já discutida, de que o jogo não se molda no combate tanto quanto o combate se modula na brincadeira, em nivelamento com os gestos que compõem sua cartografia enativa. Os gestos cartográficos têm o potencial de reconfigurar a arena de atividade do combate, assim como a bicada impetuosa do filhote de gaivota podem levar, por fim, a uma reconfiguração de um território físico. No vaivém instantâneo entre o presente da brincadeira e o futuro do combate, é estabelecido um circuito de troca, pelo qual a brincadeira vem a se expressar em combate porque o combate veio a se expressar em brincadeira. Esse intercâmbio ocorre através da sua diferença em nível comunicativo, forma e tipo, bem como através da distância que separa a brincadeira da luta, como arenas de atividade díspares, cada qual com seus próprios parâmetros espaciais e temporais — ou, no vocabulário de Félix Guattari, como *territórios existenciais* diferentes.[58]

O conceito de "território existencial" é mais abrangente do que o de "território" no sentido estrito. Remete ao território no sentido físico, mas também assimila as formas dinâmicas, as formas de atividade, que utilizam o território físico como trampolim para o devir. Inclui também as *relações mentais* entre os territórios em jogo e entre as formas dinâmicas que os territórios hospedam. O território existencial é um bloco de espaço-tempo vivido no qual a vida se pensa enquanto brinca de variação. O conceito de território existencial também, e especificamente, se refere à composição estilística das atividades vitais, inclusive o vaivém entre as suas arenas díspares efetuando uma modulação recíproca dessas arenas, de maneira a prolongá-las potencialmente em termos evolutivos.[59]

Em resumo, há uma potencialização recíproca da brincadeira pelo combate e do combate pela brincadeira: uma mútua inclusão de potencial distinto. Potenciais para variação que são enovelados na brincadeira desenovelam-se na luta. Esse *circuito de potencialização recíproca* é possibilitado, de ambos os lados, pela criação de uma zona mutuamente inclusiva de indiscernibilidade que replica a afirmação de suas diferenças

---

58 Guattari, *Caosmose* op. cit., pp. 11-95 e passim.

59 Cf. Deleuze e Guattari, *Mil platôs*, v. 4 op. cit., cap. 11.

com um terceiro incluído. A brincadeira e o combate se sobrepõem sem que a distinção entre eles seja perdida. Convergem sem se fundir, a qualquer distância no tempo e no espaço. Ocorrem conjuntamente visando a mudanças, sem coalescência — mas com um entrelaçamento de tom. Na medida em que exitosamente é combatesquidade, a brincadeira é potencial e mortalmente séria. Já o combate, na medida em que é necessariamente improvisacional, carrega um elemento lúdico. O tom dominante difere de um lado para outro, mas o -esco está num lado *e* no outro, estendido da maneira supernormal entre eles.

Na linguagem, a zona de indiscernibilidade correspondente é verbal. Enquanto verbal, presta-se a uma definição puramente lógica, nos termos do paradoxo de Russell, tratado em detalhes por Bateson. Esse paradoxo gira em torno da impossibilidade de uma classe ser membro dela própria (o paradoxo de Epimênides ou o paradoxo do mentiroso cretense).[60] O mapa que coincide com o território é outra versão do mesmo enigma. A zona de indiscernibilidade da brincadeira exemplifica ativamente esse tipo de paradoxo. Em sua cartografia enativa, a composição do mapa e a do território coincidem efetivamente no gesto. A natureza integralmente enativa e corporificada dessa cartografia entusiasticamente supernormal demanda uma definição em termos que não sejam puramente lógicos.

---

60 "Todos os cretenses são mentirosos. Sou cretense; logo, estou mentindo" e, neste caso, digo a verdade. De acordo com Russell, o problema se coloca a partir da mistura de níveis lógicos, o metanível pertencente às classes (todos os cretenses) e o nível particular pertencente aos membros das classes (o cretense que eu sou). Russell não encontrou uma maneira lógica convincente de separar as classes de modo efetivo, e disso decorre que não há um modo infalível de o mapa ficar prevenido de se replicar no território. Para a discussão de Bateson, cf. "A Theory of Play and Fantasy" op. cit., pp. 180, 184-192.

Bateson sublinha que há um fator que não é tocado pela suspensão efetuada pela colocação, realizada pelo gesto de brincadeira, da atividade subsequente no modo condicional. Esse fator é o *afeto*. Embora um gesto lúdico apavorante não denote aquilo que iria denotar, ainda provoca "o mesmo terror".[61] Esse também é o caso das imagens cinemáticas, ressalta Bateson. O assustadoresco inspira o pavor. Segundo Bateson, os gestos lúdicos são "puros signos de humor": puros signos de afeto.[62] Quando dizemos "puro" em relação a um signo, só pode denotar um signo cujo sentido é inseparável do seu desempenho e, portanto, cuja expressão é inseparável de seu conteúdo. Puros signos são signos não denotativos que não remetem a nada fora da própria enação, que é a enação do seu significado. Puros signos são puros acontecimentos, simultaneamente reflexivos (metacomunicacionais) e relacionais (ocasionando uma mútua inclusão de níveis, formas e arenas de atividade). Estando sempre em jogo, a denotação, bastante artificiosa e em termos constitutivos atingida pelo paradoxo, é eminentemente suspeita. Entretanto, isso não a impede de ser verdadeira — afetivamente verdadeira. A verdade da brincadeira é de ordem afetiva.

Anteriormente, o entusiasmo do corpo expressado pelo animal que se entrega à brincadeira foi caracterizado como um afeto de vitalidade (ou aquilo que acabamos de chamar de "tom"). O afeto de vitalidade é adverbial, diz respeito ao "como" da performance: sua maneira de execução (seu estilo). O como foi relacionado ao artifício da -esquidade. É o que Deleuze chamaria de "potência do falso". O circuito

---

61 Ibid., p. 254.
62 Ibid., p. 253.

de potencialização recíproca expresso no afeto de vitalidade da brincadeira é uma potência do falso no sentido em que "postula a simultaneidade de presentes incompossíveis" no seu vaivém instantâneo entre o agora e o futuro e entre domínios díspares de atividade.[63] O afeto que é a verdade da brincadeira adiciona uma dimensão verídica à potência do falso do afeto de vitalidade. Ele qualifica verdadeiramente a interação em curso como envolvendo um tipo conhecido de experiência, e atesta a correspondência entre as duas arenas em jogo, confirmando e cimentando a analogia: o mesmo terror (ainda que com uma diferença lúdica vital). Esse tipo de afeto, relacionado ao acréscimo de uma dimensão de mesmidade, é o que os psicólogos chamam de *afeto categórico*. O afeto categórico contribui com a verdade que será golpeada pelo paradoxo do poder do falso do afeto de vitalidade. O golpe do paradoxo torna o gesto inventivamente "indecidível" — *além* de ser verdadeiro.[64]

O afeto categórico é o "o que" da brincadeira que vem com o "como", num registro afetivo diferente daquele do afeto de vitalidade do "como". O afeto categórico é do que verdadeiramente trata o acontecimento. É o conteúdo qualificado do evento da brincadeira: "sua sobredade". Ocorre num registro diferente da dinâmica forma lúdica do desempenho que o enativa, como um aspecto estritamente do mesmo gesto. O afeto de vitalidade e o afeto categórico são aspectos concomitantes do ato da brincadeira. O afeto de vitalidade corresponde à -esquidade do ato: sua maneira. O afeto categórico

---

63 Deleuze, *Cinema 2 – A imagem-tempo*, trad. bras. de Eloisa de Araújo Ribeiro. São Paulo: Brasiliense, 2005, p. 161.

64 Deleuze, *Conversações*, trad. bras. de Peter Pál Pelbart. São Paulo: Editora 34, 1992, p. 51.

é aquilo sobre o que o ato maneiristicamente confirma ser. É o que comumente é chamado de "emoção".[65]

O afeto categórico mobilizado na brincadeira é o mais saliente nas interações da arena de atividades análoga com a qual se está brincando. Não há combate sem medo nem predação sem terror. Portanto, medo e terror realmente figurarão nos jogos correspondentes. O mesmo afeto figurará também do lado da lacuna analógica aberta pela brincadeira. Sua figuração em ambos os lados constrói a ponte em seu entremeio. A situação, em todas as suas facetas, será banhada por essa qualidade experiencial sentida por toda parte. A mordiscada de brincadeira diz "isto não é uma mordida" (este ato não denota aquilo que iria denotar). Ao mesmo tempo, diz categoricamente: "esta, no entanto, é uma situação de medo". A verdade afetiva é a garantia do entusiasmo do corpo do parceiro de brincadeira. Sem isso o jogo careceria de intensidade. O afeto categórico na brincadeira é o fermento que permite que o afeto de vitalidade venha à tona. Não fosse assim, a força indutiva do gesto lúdico seria insignificante, a transformação-*in-loco* que carrega a força do jogo não daria em nada.

O mesmo afeto categórico transpassa o acontecimento, mas não de forma homogênea. É assimetricamente distribuído, é diferencialmente distribuído na afetação dos *papéis*: assustador/assustado, caçador/caçado, perseguidor/perseguido. A

---

65 Sobre a distinção entre o afeto de vitalidade e os afetos categóricos enquanto equiparados à emoção, cf. Stern (*The Interpersonal World of the Infant* op. cit., pp. 53-57; *Forms of Vitality: Exploring Dynamic Experience in Psychology, the Arts, Psychotherapy, and Development*. Oxford: Oxford University Press, 2010, pp. 27-28). Sobre a necessidade de distinguir o afeto, em geral, da emoção, cf. "The Autonomy of Affect" in *Parables for the Virtual: Movement, Affect, Sensation*. Durham: Duke University Press, 2002, pp. 23-45).

situação bem pode ser de medo em todos os lados, mas cada participante carrega o medo de acordo com um ângulo particular de inserção diferencial na situação. Os papéis correspondentes aos ângulos de inserção enativam diferenciais de poder. Vimos anteriormente como o afeto de vitalidade marcado pela -esquidade da dramatização lúdica trazia consigo potenciais transituacionais abarcando territórios existenciais distantes. Tratava-se de um *signo de potencial*. O afeto categórico, por sua vez, é um *signo de poder*. Os dois são inseparáveis, como dois lados de uma mesma moeda gestual.

O afeto de vitalidade que expressa o entusiasmo do corpo estabelece uma conexão *transindividual*.[66] A transformação-*in--loco* que acompanha o início da brincadeira não atinge um sem atingir o outro. Ao atingir um, atinge dois (pelo menos dois). A transindividualidade dessa transformação é o que torna a brincadeira um processo fundamentalmente relacional, a partir do momento em que é disparado o seu movimento. Sua relacionalidade se prolonga potencialmente numa conexão *transituacional*. No movimento da brincadeira, territórios existenciais se cruzam enativamente e se modulam mutuamente, através de suas diferenças, arrastados na direção de novas expressões de suas formas dinâmicas — cada novo movimento de brincadeira tendo o valor de um movimento de luta em potencial improvisacional. A brincadeira se torna combatesca, enquanto o combate se torna lúdico. É uma questão de desterritorialização recíproca, cada arena diferencialmente prolongada na outra. Essa *dupla desterritorialização* é o próprio movimento da abstração vivida, mobilizando a si

---

66 Sobre a teoria da transindividualidade, cf. Simondon, *L'information à la lumière des notions de forme et d'information*. Grenoble: Millon, 2005, pp. 251-316; e Muriel Combes, *Gilbert Simondon and the Philosophy of the Transindividual*, trad. ing. de Thomas Lamarre. Cambridge: MIT Press, 2013, pp. 25-50.

mesma rumo à invenção. Ela reforça e estende a principal lacuna entre o que um gesto denota e o que iria denotar. É o que torna significativa a mínima diferença que separa o que é daquilo que *poderia ser* — que o gesto lúdico inclui no seu próprio *fazer*. É a forma da força criativa desencadeada pela brincadeira. É o que garante o circuito potencializante entre o presente e o futuro.

O afeto categórico preenche a lacuna que é aberta pelo afeto de vitalidade e que se estende numa desterritorialização recíproca. É a qualidade assimetricamente compartilhada da experiência, envolvendo a situação evolutiva por todos os lados, de uma ponta a outra. Contribui com o "o que" que a abstração vivida desterritorializa e se encontra por todos os lados, dando conteúdo qualificado e situacional ao acontecimento estendido. O afeto categórico é a determinação imediatamente sentida do que a vida é de fato na complexidade acontecimental do momento.[67]

---

67 A distinção sugerida aqui entre forma e conteúdo não deveria ser tomada como uma validação da visão "hilemórfica" tradicional de que a forma é abstrata enquanto o conteúdo é concreto — com a forma entendida como um tipo de molde que impõe um formato à matéria informe. Forma e conteúdo têm de ser pensados aqui do modo como Deleuze e Guattari os repensam, seguindo Hjelmslev, que desloca a distinção para forma e expressão. Tanto conteúdo quanto expressão possuem formas, e elas estão em "pressuposição recíproca". Ambos também possuem substância, fazendo da sua pressuposição recíproca um ninho de complexos imbricados de forma-matéria. Assim, conteúdo e expressão permanecem heterogêneos entre si, embora ocorrendo estritamente de modo conjunto. Aqui o afeto categórico, como um tipo reconhecível de emoção, como o medo, seria a "forma do conteúdo". Seu sentimento vivido de modo agitado seria uma "substância do conteúdo". O ponto é que esse afeto de vitalidade é a forma da expressão do afeto categórico, e ao mesmo tempo constitui o seu próprio sentimento, irredutível ao afeto categórico que ele expressa no acontecimento. Sobre forma/substância do conteúdo/expressão, cf. Deleuze e Guattari (*Mil platôs*, v. 1, trad. bras. Ana Lúcia de Oliveira, Aurélio Guerra Neto e Célia Pinto Costa. São Paulo: Editora 34, 1995, pp. 56-58; *Mil platôs*, v. 2, trad. bras. de Ana Lúcia de Oliveira e Lúcia Cláudia Leão. São Paulo: Editora 34, 1995, pp. 33-40). Sobre a

Em uma situação de não brincadeira, o afeto categórico registra o imperativo de viver o acontecimento na chave experiencial dominante, na qual a situação costumeiramente se desdobra. Em uma situação de medo que não seja de brincadeira, sentimos diretamente o imperativo para lutar ou fugir. Cada fibra de nossa existência é interpelada. Induzidos ao próximo acontecimento, nós nos preparamos e mergulhamos. Temos a obrigação de agir, colocando todas as nossas forças e habilidades, em nome de o nosso apetite pela vida ser capaz de continuar em seu caminho de autocondução para o futuro. Nossas ações iniciais absorvem o afeto categórico dado, fazendo sua transdução imediata em vetores de atividade ancorados na situação e orientados ao acontecimento recém-começado. Essa transdução do conteúdo qualificando a situação para um relançamento da atividade expressiva ancorada e orientada é a produção da *corporalidade* do acontecimento. É com essa corporalidade, ludicamente reinduzida, que a brincadeira brinca. A brincadeira registra o imperativo de viver o acontecimento no tom experiencial dominante da situação com a qual se brinca, enquanto tomada no movimento transsituacional característico da brincadeira. Ele refrata a absorção do afeto categórico.

Vale a pena interromper aqui para ressaltar dois pontos. Primeiro, como o exemplo do medo indica, o "entusiasmo do corpo", expressão do afeto de vitalidade da brincadeira, não pode ser concebido em nenhuma relação um para um no que se refere a um afeto categórico particular. A vitalidade

---

crítica ao modelo hilemórfico, cf. Simondon, *L'information à la lumière des notions de forme et d'information* op. cit., pp. 39-51) e Combes, *Gilbert Simondon and the Philosophy of the Transindividual*, op. cit., pp. 1-6.

afetiva é intensa, mas não necessariamente "feliz". A brincadeira, como aponta Huizinga, não é redutível à "diversão" em qualquer sentido categórico, e com certeza não no sentido do insípido deleite que a palavra assumiu em sua utilização contemporânea.[68] Segundo, também é necessário se valer advertidamente da distinção entre situações de "brincadeira" e de "não brincadeira". Como demonstrou a discussão sobre o circuito reciprocamente potencializante entre brincadeira e combate, brincadeira e não brincadeira não são categorias mutuamente excludentes. Como tudo nesta explanação, elas estão numa relação dinâmica de mútua inclusão. São correlatos processuais coimplicados. Isso não é uma conclusão, mas um ponto de partida: uma problematização. O modo da mútua inclusão deve ser repensado em cada caso. Dado um gesto lúdico, o problema que se deve atacar é qual variante de mútua inclusão ele produziu.

Voltando à corporalidade, ela absorve os imperativos da situação em sua própria produção, detalhando progressivamente o conteúdo singular desse acontecimento à medida que o desdobra imperativamente em sua chave categórico-afetiva dominante. A palavra "corporalidade" é preferível a "corporalização". *Corporalização* tem conotações de encarnação, como se o corpo fosse um receptáculo vazio no qual é vertido algum conteúdo idealmente preexistente.[69] A corporalidade,

---

68 O *divertimento* do jogo "resiste a toda análise e interpretação lógicas" (Huizinga, *Homo Ludens* op. cit., p. 5). Como um conceito, não pode ser reduzido a nenhuma outra categoria mental. Para os presentes propósitos, essa declaração precisa ser especificada: O *divertimento* do jogo resiste a toda análise *categórica* e interpretação lógica *predicada na mútua exclusão.*

69 Uma teoria não cognitiva não pode falar em "a carne" ou "o corpo" como encarnando sentimentos ou ideias e sendo inspirados por eles. Qualquer conotação de encarnação reintroduz sub-repticiamente o dualismo mente/corpo. O uso do termo "corporificado" cai geralmente nessa armadilha, a despeito de si mesmo.

por outro lado, é produzida no, pelo e para o acontecimento. É menos uma encarnação de algo de fora do que uma *incorporação no acontecimento*, de uma vida adentrando um novo ritmo de seu próprio devir, registrando os imperativos dessa situação. A corporalidade não é separável da ação ou da forma de expressão da dinâmica da ação, que é o afeto de vitalidade. A corporalidade é a "sobredade" imediatamente sentida *da* expressão de vitalidade. Sua absorção de sobredade atrela sua gênese ao afeto categórico. A corporalidade emerge com o sentimento, do afeto categórico, de ancoragem obrigatória na situação; e com a tangibilidade dos imperativos que ocorrem com o território. O obrigatório, o imperativo: o importante. A corporalidade é *importância vivida*. O afeto de vitalidade, como dito anteriormente, corresponde à *abstração vivida* e à desterritorialização associada ao seu desempenho. A corporalidade como importância vivida é um acompanhamento necessário ao jogo vital de abstração que comunica à situação quais graus de liberdade podem, a partir dela, ser -esquizados.[70]

Cf. a crítica feita por Maxine Sheets-Johnstone das conotações de encarnação nos estudos de cognição corporificada (Sheets-Johnstone, *The Corporeal Turn: An Interdisciplinary Reader*. Exeter: Imprint Academic, 2009, p. 221; "Animation: the Fundamental, Essential, and Properly Descriptive Concept". *Continental Philosophy Review* nº 42, 2009 , pp. 377, 394-395). Aqui preferimos o adjetivo "incorporado" a "corporificado". Este, quando utilizado, o foi com reservas.

70 O conceito de "importância" dialoga aqui com Whitehead: "o sentido de importância (ou interesse) está embutido no próprio ser da experiência animal" (Whitehead, *Modes of Thought*. Nova York: Free Press, 1968, p. 9). Da mesma forma Whitehead fundamenta a importância nos imperativos da situação que estão dados. "A pura questão de fato", "o caráter inescapável da questão de fato", é a "base da importância" (p. 4). Ao mesmo tempo, Whitehead enfatiza a vetorização da importância em uma direção distinta do "determinismo compulsivo" (p. 7) da questão de fato, em direção à criatividade, aberta para o futuro (cf. Stengers, *Thinking with Whitehead: A Free and Wild Creation of Concepts*, trad. ing. de Michael Chase. Cambridge: Harvard University Press, 2011, pp. 236-237). Assim, "temos de explicar os diversos sentidos em que liberdade e necessidade podem coexistir" (Whitehead,

A importância vivida é um entendimento não cognitivo do que se passa nessa situação, uma situação com uma ação corporal ocorrendo. É diretamente incorporada no acontecimento em um registro afetivo, sem nenhum traço de reflexão.[71] O elemento de reflexividade pertence, particularmente,

---

Modes of Thought op. cit., p. 5). Whitehead utiliza a expressão "a importância vivida das coisas sentidas" na p. 11. A própria importância vivida carrega um grau de abstração, na medida em que equipara a situação com outras do seu tipo categoricamente afetivo. Trata-se do grau mais baixo de abstração que consiste na postulação de uma generalidade: a identificabilidade do afeto categórico é o que um número de situações tem em comum. Ele registra sua mesmidade sentida, a despeito de suas diferenças. Particularmente, registra a mesmidade de situações passadas, já vividas, para a vivência da situação presente. Já que cada situação é concretamente dada com suas diferenças em relação a todas as outras, a experiência da mesmidade se qualifica como uma ultrapassagem do que está dado, que era a definição de mentalidade. A importância vivida envolve a operação mental de *reconhecimento* como o grau de abstração mais baixo na vida animal. Desse ponto de vista, a importância vivida pode ser considerada como estando no mesmo *continuum* que a abstração vivida, a qual, não obstante, é qualitativamente distinta da importância vivida, na medida em que registra a singularidade da situação — não sua mesmidade sentida, mas sua diferenciação sentida.

71 A conhecida e difamada teoria da emoção de James-Lange é uma maneira de pensar acerca da imediatez não reflexiva do entendimento vivido da importância mencionado há pouco. A teoria é encapsulada na seguinte fórmula: "não corremos porque temos medo, temos medo porque corremos". Isso é frequentemente interpretado como uma declaração de reducionismo fisiológico. Não é. Para James, o ponto é que de fato esse sentimento de medo se nivela com a ação, que registra em sua orientação imediata a importância vivida da situação (um urso na trilha à nossa frente...). "Minha teoria [...] é que as mudanças corporais seguem diretamente a percepção do fato excitante, e que o nosso sentimento das mesmas mudanças, enquanto elas ocorrem, são a emoção" (James, *The Principles of Psychology*, v. 2. Nova York: Dover, 1950, p. 449). Olhando por esse ângulo da descarga de emoção com a de ação, com uma consciência de mudança sendo sentida (que, no presente vocabulário, chama-se mais de *afeto* que de "emoção"), a teoria de James-Lange pode ser considerada não um reducionismo fisiológico, mas uma teoria da corporalidade, entendida aqui como um modo do pensar-sentir em toda a sua imediatez. Vale notar, de passagem, que James situa instinto e "emoção" (afeto) em uma mútua inclusão através de uma zona de indistinção: "Reações instintivas e expressões emocionais lançam sombra imperceptivelmente uma na outra. Todo objeto que excita um instinto excita também uma emoção" (p. 442).

ao afeto de vitalidade em sua relação com a -esquidade. A corporalidade é um dos fatores refletidos no afeto de vitalidade. O afeto de vitalidade confere à corporalidade, por acaso, uma virada supernormal que equivale a um comentário performativo sobre ela. A intensidade corpórea do lançamento obrigatório à ação, subscrito por um afeto categórico como o medo, o arrimo de uma vida nesse pulso de ação na chave imperativa de afetividade, ressoa com a intensidade expressiva do entusiasmo do corpo do afeto de vitalidade. A intensidade geral do acontecimento é amplificada pela tensão que resulta do *feedback* entre os dois polos.[72]

O que é comumente chamado de "corpo" é a *corporificação* do acontecimento através dessa tensão. A vida é tensamente esticada entre sua ancoragem obrigatória nos imperativos de

---

72 Para uma explanação completa sobre a relação entre afeto categórico e afeto de vitalidade é crucial evitar qualquer implicação de linearidade entre eles, como se o conteúdo categórico-afetivo viesse primeiro e o afeto de vitalidade, em segundo, para fazer sua transdução. De fato, é apenas retrospectivamente que essas duas dimensões do acontecimento podem ser separadas. Na agitação de um acontecimento, elas ocorrem em conjunto numa zona de indiscernibilidade. O afeto categórico coincide com um relançamento da atividade expressiva ancorada e orientada, que é precisamente o que é registrado como afeto de vitalidade. Afeto categórico e vitalidade são realmente distintos, mas não podem ser analisados em separado. Por acaso, eles se juntam. Retrospectivamente é outra história. Parafraseando Whitehead, "esse sentimento temeroso" (afeto categórico e afeto de vitalidade ocorrendo conjuntamente *como* experiência), retrospectivamente, torna-se "aquele sentimento de medo" (um conteúdo especificado *na* experiência). Para uma análise dessa coimplicação processual em evolução do afeto de vitalidade e do afeto categórico (correspondendo à "emoção" no presente vocabulário) analisada no nível político, cf. Massumi ("Fear (The Spectrum Said)". *Positions: East Asia Cultures Critique*, edição especial "Against Preemptive War", v. 13, nº 3, 2005, pp. 31-48.; para a referência de Whitehead, cf. ibid., nota 10, p. 48). A situação política em questão (a política do terror de Bush) poderia parecer qualquer coisa, menos lúdica, mas boa parte da análise da brincadeira aqui desenvolvida poderia ser aplicada a ela, mediante ajustes apropriados em vista de entender o "jogo" da política (seus poderes de falsidade, suas forças de abstração inventiva).

dada situação e a tendência supernormal, arrancando, de cada volta e de cada reviravolta na ação, uma oferta de liberdade. Não há "o corpo". Há *uma* vida — esticada como um elástico entre os polos afetivos contrastantes entre os quais se dará a determinação progressiva do acontecimento.[73] Corporificar é estar nessa situação, sendo puxado em duas direções de uma só vez: de um lado, ancorado no que está dado; de outro, tendendo a arranjar um jeito de superá-lo; o recuo da necessidade estabelecida e o avanço para o novo. Em outras palavras: aquiescência ao que não é opcional, de um lado, e a espontaneidade da apetição, de outro; *pathos* (o sentimento aferrante de aquiescência ao não opcional) e a fuga da fantasia da paixão; incorporação à dadidade do acontecimento e a artificiação de uma via através disso com um entusiasmo supernormal; a corporalidade da importância vivida e a vitalidade da abstração vivida, em acidental tensão produtiva. O que ocorre efetivamente é como essa tensão se resolve. Paradoxalmente, por essa definição, "o" corpo não é redutível à corporalidade. Reestilizado como corporalização, "o corpo" inclui o movimento através do qual a corporalidade supera a si mesma: inclui o polo mental do acontecimento.[74]

---

73 Sobre o conceito de "uma vida", cf. Deleuze (*Dois regimes de loucos*, trad. bras. de Guilherme Ivo. São Paulo: Editora 34, 2016, pp. 407-413).

74 Tal como utilizado aqui, corporalidade evoca em linhas gerais o que Whitehead chama de "polo físico" de um acontecimento. O "polo mental" contrastante é *incorpóreo*. O corpo é o que se estende entre eles e é determinado pelo exercício dessa tensão. O corpo não se reduz ao corpóreo, que, por sua vez, não é redutível ao físico entendido no sentido usual, já que (tal como explicado no corpo do texto e na nota 71, p. 60) o corpóreo como importância vivida envolve um modo de entendimento e, portanto, pode ser pensado como um grau de mentalidade. Correlativamente, o incorpóreo é guiado pela tendência supernormal de reincorporação em acontecimentos futuros, produzindo, assim, variações na corporalidade. Reconhecendo essas mútuas inclusões processuais do corpóreo e do incorpóreo, situa os dois polos num *continuum*, ao mesmo tempo em que respeita suas diferenças,

O fracasso de um gesto lúdico numa luta de brincadeira pode ser pensado nesses termos. Quando o gesto lúdico fracassa e o jogo se torna o seu análogo, é porque o peso do afeto categórico ficou muito grande. O imperativo a ele associado foi sentido com muito *pathos*, tropeçando na tendência supernormal. A atração da verdade corpórea da situação era forte demais. O gesto incorporado, em demasiada conformidade com os imperativos sentidos da arena de atividade com a qual se brinca. Os imperativos da situação análoga de medo dizem "morda, de verdade". A brincadeira diz "mordisque, com estilo". Quando a mordiscada de brincadeira é verdadeira demais, o jogo é arrastado por uma mordida que, agora, denota uma mordida. A -esquidade do afeto de vitalidade é insuficiente para manter a suspensão do combate. A forma dominante do combate não só é modulada de dentro, ela toma conta, obriga o acontecimento a ele mesmo. A tensão entre incorporar a um acontecimento e arranjar uma via supernormal para atravessá-lo pende muito para a primeira. A lacuna da brincadeira se fecha. O paradoxo colapsa na seriedade; o poder do falso, na veracidade. A diferença mínima entre o que o gesto denota e o que iria denotar é apagada. É um caso de demasiada corporalidade, sem exercício suficiente do poder mental para fazer uma virada supernormal rumo à corporalização. Muita importância vivida (porém, inapropriada) e pouca abstração vivida. Uma corporalização muito pouco imaginativa.

Ainda que a importância vivida seja um entendimento não cognitivo, imediata demais em seu conjunto não opcional

---

sem desfazer a tensão entre eles. Pensar o corpo, nessa abordagem, requer um *"materialismo do incorporal"*, afinado ao paradoxo processual produtivo (cf. Massumi, *Parables for the Virtual*, op. cit., pp. 5-6, 16). O termo tem sua origem em Foucault (*A ordem do discurso*, trad. bras. de Laura Fraga de Almeida Sampaio. São Paulo: Loyola, 1999, p. 58).

com o acontecimento para constituir uma reflexão, como um entendimento ela ainda se qualifica como um ato de *pensamento*. É pensamento em seu grau mais ínfimo de criatividade, ancorado em um reconhecimento do que está dado, ou seja, afinado com a mesmidade do presente ao passado. A abstração vivida, em contrapartida, é voltada para o futuro, num pensar enativo do novo. Também é um entendimento não cognitivo, mas numa ação orientada para o futuro.

E o que é a *intuição*, senão a cooperação de ambos? Uma liga feita de ambos? Uma dupla dosagem do acontecimento com ambos — mas com um elemento extra do lado da abstração vivida, enviesando o acontecimento mais na direção da desterritorialização criativa do que da ancoragem obrigatória. O que é a intuição, senão uma corporalização criativa? Uma corporalização que se faz numa realização do novo?

Para Bergson, o instinto só pode ser pensado em relação à intuição. Ele define o instinto como a intuição que é mais *"vivida* do que *representada"*.[75] *Intuição vivida*. Uma intuição que é antes representada do que vivida seria uma cognição, ocorrendo num nível reflexivo da vida muito diferente, no qual o pensar não está nivelado com o fazer, e as palavras ou imagens que o representam são capazes de sacudir o modo condicional do performativo a fim de efetivamente entregar como denotação aquilo que eles denotam. É também um pensar que supera o que está dado, chegando a novas conclusões, mas que consegue permanecer no modo referencial. Vividas e/ou representadas, as intuições pertencem ao campo ativo da consciência (a consciência é somente isto, um "campo" de atividade, não uma coisa).[76] O "instinto", na

---

75 Bergson, *A evolução criadora* op. cit., p. 190.
76 Ibid., p. 194.

medida em que pertence ao campo da consciência, "nem por isso [...] está situado fora dos limites do espírito".[77] Há nele um lampejo de mentalidade. O instinto é um modo do pensar, um que envolve o fazer. Sendo diretamente vivido, antes gestualizado do que representado, sua mentalidade é de um grau que por natureza resiste à definição cognitiva. Sempre há algo extra nele, na medida em que ele entusiasticamente elude a referenciação cognitiva. É sempre um pensar-sentir excedendo a denotação.

Como vimos na análise dos estímulos supernormais, o instinto pensa gestualmente em blocos qualitativos. Seus gestos se efetuam e envolvem um "arranjo novo de elementos antigos" de maneira correlativa.[78] Ele está associado a blocos de relação, conjuntos de qualidades experienciais integralmente conectadas. Associando-se a essas qualidades, "disting[ue] *propriedades*" em vez de objetos de percepção.[79] Ele singulariza as propriedades sob uma deformação relacional que tende à variação, em vez de perceber objetos discretos no modo do reconhecimento. Isso confere ao instinto o seu poder mental, novamente no sentido da capacidade de superar o que está dado: confere a ele a inclinação constitutiva para o supernormal. O instinto sempre tem um primeiro grau de mentalidade apetitiva, uma fome pelo supernormal, por mais sobrecarregado e fixado que ele possa estar pela corporalidade herdada e sua inclinação para a mesmidade. No caso do instinto, a corporalidade assume a forma herdada de uma memória genética dos imperativos adaptativos de situações

77 Ibid., p. 190.
78 Ibid., p. 33.
79 Ibid., p. 206.

passadas, reativadas por uma percepção do presente.[80] É a tendência apetitiva do supernormal de adentrar o ato instintivo que salva o instinto de ser a ação estereotipada de reflexo que é, em geral, reputado a ser.

Bergson propõe um conceito desenvolvido para substituir a noção de "cognição", lamentavelmente tão mal posicionada no que se refere ao instinto como intuição vivida. O instinto, afirma Bergson, não é cognitivo. Ele é simpático. E ele não poderia dizer mais claramente: *"o instinto é simpatia"*.[81] "Chamamos aqui de intuição a *simpatia* pela qual nos transportamos para o interior de um objeto para coincidir com aquilo que ele tem de único e, por conseguinte, de inexprimível.[82] Para os propósitos de nosso projeto, é necessário acrescentar uma correção a essa definição, assim como propor uma extensão. A correção diz respeito ao termo "objeto". Se o pensamento distingue de modo instintivo qualidades experienciais integralmente interconectadas, de olho em seus devires supernormais potenciais, e não os objetos prontos, seria mais preciso dizer que a simpatia "nos transporta ao coração do *acontecimento*". Uma formulação mais completa seria: "chamamos de instinto, em seu aspecto de intuição vivida, a simpatia que nos transporta, num gesto que efetua uma transformação-*in-loco*, ao coração de um acontecimento único, que é apenas o começo, com o qual a nossa vida irá agora coincidir, mas cujo desfecho ainda não é conhecido e, consequentemente, expresso — atado, como o movimento adiante, à tendência supernormal".

80 Cf. nota 34 p. 32, acima, sobre o papel do "traço mnêmico".

81 Bergson, *A evolução criadora* op. cit., p. 191, grifo nosso.

82 Id., *O pensamento e o movente*, trad. bras. de Bento Prado Neto. São Paulo: Martins Fontes, 2006, p. 187. Para uma excelente análise da relação entre simpatia e intuição em Bergson, cf. Lapoujade, *Potências do tempo*, trad. bras. Hortência Santos Lencastre. São Paulo: n-1 edições, 2017, pp. 61-87.

A parte da formulação referente ao que "ainda não pode ser conhecido" concerne à "extensão", que ocorre precisamente no e através do acontecimento. Transportados ao coração do acontecimento, somos movidos por aquilo que sucede. O que está por vir já está fluindo. Mas o que está fluindo ainda está presente apenas nos primeiros indícios de potencial. O potencial está sendo ativamente expresso, mas como um movimento do ainda-inexprimível, posto que ainda está por vir. Como intuição vivida, o instinto é a expressão gesticulada do ainda-inexprimível; envolve um vívido pensar-fazer do movimento irrestrito da expressão, ancorado na situação, bem no seu núcleo, mas levando tendencialmente para além do que nele está então dado.

O que a intuição acrescenta ao instinto é a corporalidade da situação presente. A corporalidade é um polo componente da intuição, como definido acima: a tensão corporal entre a abstração vivida da tendência de superar o que está dado e a importância vivida da corporalidade — com uma acentuação na última. Se o instinto fosse vivido sem um impulso da intuição, só seria capaz de improvisar supernormalmente sobre o já herdado do passado e, na ausência de uma ancoragem no presente, seria sempre alucinatório, mesmo com um estímulo. A intuição fundamenta a herança corporal do instinto do passado na corporalidade do presente, permitindo que ela apreenda efetivamente o potencial supernormal da situação. Ela permite que o instinto fatore nos imperativos da situação; que manobre, mais efetivamente, seu apetite supernormal além deles. A intuição acrescenta a própria dose de apetitividade à mistura (se ela não tivesse o próprio apetite pela vida, por que se importaria, antes de tudo, em ser misturada aos acontecimentos?). A dupla polaridade da intuição capacita o instinto a fatorar em sua operação o que é importante no presente, enquanto, ao mesmo tempo, mantém a tendência apetitiva do instinto de superar. Isso aumenta efetivamente a proeza improvisacional do instinto. Faz com que ele se torne mais pragmaticamente apto a apreender o inexprimível, para -esquizar de forma mais expressiva o seu movimento. Cada ato instintivo vivido carrega um grau de capacitação intuitiva. O grau depende de muitos fatores, incluindo o nível de complexidade evolutiva do animal, mas não se limitando a isso.

Pode não ter passado despercebido que as definições de instinto e intuição se entrecruzam, assim como, inevitavelmente, todas as distinções dispostas neste ensaio. O instinto já carrega a tendência supernormal — embora num modo alucinatório, se deixado por sua conta — cuja acentuação define a intuição. E a intuição já carrega uma polaridade entre a tendência supernormal e a corporalidade — embora em outro tempo, mais presente que passado. Como sempre, não se trata de uma lógica simples de separação categorial e sua lei autofrustrante do terceiro excluído. É sempre uma questão gestualmente recente de mútua inclusão diferencial de correlatos processuais que se implicam conjuntamente.

O paradoxo é sempre o seguinte: dois modos de atividade em mútua inclusão estão tão interligados a ponto de serem graus um do outro. Ainda assim, suas diferenças permanecem. Quando eles emergem juntos, estão performativamente fundidos sem se confundirem, o que significa que podem se recombinar quando acontecer de, performativamente, emergirem juntos de novo. Portanto, na lógica da mútua inclusão, pode-se dizer que instinto e intuição estão no mesmo *continuum*, separados apenas por graus (assim como foi dito que o instinto é intuição vivida no primeiro grau de mentalidade), *e* pode-se dizer que se misturam, para além de uma diferença de tipo (como quando se diz que o instinto é possibilitado pragmaticamente pela intuição). Na lógica da mútua inclusão, diferença de grau e diferença de tipo são ativamente inseparáveis, dois lados da mesma moeda processual. O *continuum* em que o instinto e a intuição se diferem em *graus* é o da corporalização animal. A recombinação em que emergem conjuntamente, de novo, para além de suas diferenças de *tipo*, se repete pontualmente em todo acontecimento gesticulado da corporalização animal.

Há um sinônimo de uma só palavra para a mútua inclusão diferencial: vida. A vida espreita na zona de indiscernibilidade do entrecruzamento das diferenças de todos os tipos e graus. A cada pulsação de experiência, com cada recombinação que ocorre, emerge uma nova variação no *continuum* da vida, estirada por uma multiplicidade de distinções de coimplicação. A evolução da vida é uma variação contínua atravessando iterações recorrentes, repetindo o estiramento sempre com uma diferença. Por causa desse entrecruzamento recorrente de diferenças conjuntamente envolvidas, a evolução nunca é linear.

A mesma lógica se aplica a todos os termos contrastáveis. O modo em que fará sentido construir seu contraste, como uma diferença de grau ou uma diferença de tipo, variará de acordo com o problema e a tarefa de construção de conceitos de que se dispõe. A única forma de evitar essa oscilação é substituir ambos os termos pela noção de *diferença modal*, na qual as distinções a serem feitas são entre modos de atividade (formas dinâmicas qualitativamente distintas). A diferença modal diz respeito aos diferenciais entre as *tendências* que são variavelmente *coativas* em cada acontecimento, sua coatividade expressando-se iterativamente numa linha emergente de variação contínua. Toda distinção feita neste ensaio situa-se entre tendências contrastantes. A lógica modal é uma lógica ativista radicalmente baseada nos acontecimentos que evita tanto a pressuposição implícita da substância trazida pela noção de "diferença de tipo" quanto a conotação de quantidade moderada trazida pela noção de "diferença de grau". As tendências não são nem substantivas nem quantificáveis. A lógica da mútua inclusão é, em última análise, uma lógica modal de variação contínua. Essa lógica começa a germinar em qualquer lugar em que as tendências são levadas a sério — e, com elas, os fatores qualitativos e subjetivos da natureza. Em especial, a tendência supernormal da brincadeira.[83]

Mas tudo isso ainda não nos diz de que forma instinto é simpatia. Neste ponto da explanação, essa é a questão crucial porque nos coloca bem na direção do objetivo declarado deste ensaio: começar a expressar o que os animais nos ensinam sobre política.

Como na presente explanação da animalidade, Bergson enfatiza que as operações do instinto são transindividuais, e que não são redutíveis a uma acumulação de variações acidentais: "o esforço pelo qual uma espécie modifica seus instintos e se modifica também a si mesma deve ser algo bem mais profundo e que não depende unicamente das circunstâncias nem dos indivíduos. Não depende unicamente da

---

83 Sustentar uma lógica modal demanda um nível altíssimo de abstração para ser integralmente praticável, já que requer *traduzir substantivos em verbos* continuamente, na contracorrente da maioria das línguas. Essa dificuldade resulta numa oscilação entre lógica modal e diferença de grau/diferença de tipo. *A evolução criadora*, de Bergson, é um estudo clássico sobre a lógica modal da mútua inclusão — e a dificuldade de não retroceder para a vacilação lógica. O que muitos leitores interpretam como "dualidades" ou "oposições binárias" no pensamento bergsoniano — e também em Deleuze e Guattari — deve ser reavaliado em termos de tendências contrastantes na mútua inclusão processual. Isso talvez se aplique mais significativamente à distinção, em Bergson, entre "matéria" e "memória"; em *Mil platôs* v. 4 op. cit., às distinções deleuzo-guattarianas entre nomadismo/Estado e liso/estriado; e, em *O que é a filosofia* op. cit., entre filosofia/arte e conceito/percepto.

iniciativa dos indivíduos, ainda que os indivíduos colaborem nesse esforço, e não é puramente acidental".[84] É fácil de ver a transindividualidade do instinto. É evidente que uma cópia da coatividade do parceiro de brincadeira é incluída como delineamento negativo na -esquidade do gesto lúdico. O gesto lúdico é impotente, a não ser quando captura a atenção do outro. No modo como captura a atenção, o gesto rascunha o delineamento antecipatório dos contramovimentos que virão do parceiro. O gesto lúdico é um signo do potencial afetivo não somente no animal que o executa, mas também no outro, cuja própria apetição une forças com a do autor do gesto, com toda a imediatez da transformação-*in-loco* que o gesto efetua. O gesto lúdico implica imediatamente ao menos dois, a certa distância e em suas diferenças individuais e papéis distintos, num vaivém instantâneo de ponto e contraponto dinâmicos. Mantendo a lógica da mútua inclusão, pode-se atribuir uma diferença de tipo à intuição e à simpatia, como dois lados ou aspectos qualitativamente diferentes dessa atividade compartilhada de mútua inclusão transindividual. A intuição é tudo o que "desfaz as barreiras do espaço" para efetuar essa mútua inclusão dinâmica.[85] A simpatia é o devir transindividual criado pela exteriorização da intuição. A simpatia é o *modo de existência do terceiro incluído.*

O ato de intuição inclui dramática e mutuamente ao menos duas perspectivas não coincidentes. Ele faz o entremeio. Na imediatez de sua enação, já é transindividual, no sentido em que habita as lacunas entre as perspectivas individuais. Ele consegue isso sem se dirigir a uma dimensão suplementarmente mais elevada, que lhe concederia um panorama da

---

84 Bergson, *A evolução criadora*, p. 185.

85 Ibid., p. 192, tradução modificada.

situação, como se estivesse fora dela. Isso é o que a cognição faz. A intuição, na retidão de seu pensar-fazer, atua como o *entremeio imanente* abrindo uma brecha na situação.

No vocabulário de Ruyer, essa imediata abrangência dinâmica de perspectivas díspares sem o ponto de vista de uma dimensão suplementar é chamada de *inspeção absoluta* (absoluta no sentido em que é panoramesco, sem o ponto de vista externo que faria dela algo meramente relativo à situação, numa supervisão externa a isso). "Inspeção absoluta" é outro nome para o modo de existência que é a simpatia, induzida a ser, no ato da intuição. Ruyer também a chama de *consciência primária*, correspondendo ao primeiro grau da mentalidade (para a junção-na-diferença de perspectivas díspares na inspeção absoluta, superando a disjuntividade do que está dado, sem apagá-lo).[86]

Não é que um animal *tenha* uma consciência do entremeio imanente que é a inspeção absoluta da simpatia. Em vez disso, o entremeio imanente *é* a consciência. A consciência primária é o ser de um primeiro grau de mentalidade: um ser enativo de relação para entrelaçamento supernormal. A

---

86 Cf. Ruyer, *La genèse des formes vivantes* op. cit., pp. 95-131. De sua parte, William James descreve a natureza da consciência primária como um campo transindividual de transformação vital pensada-sentida nos seguintes termos: "Aquilo com o que nós nos identificamos conceitualmente e dizemos que estamos pensando num momento qualquer é o centro; mas o nosso si-mesmo *completo* é todo o campo, com todas essas possibilidades subconscientes indefinidamente radiantes de expansão que apenas podemos sentir sem conceber, e que dificilmente podemos começar a analisar. *Os modos coletivos e distributivos de ser coexistem aqui*, pois cada parte funciona distintamente, faz conexões com sua própria região peculiar no ainda vasto resto da experiência e tende a nos colocar nessa linha, e ainda assim o todo é de algum modo sentido como uma pulsação de nossa vida — não concebido como tal, mas sentido" (W. James, *A Pluralistic Universe*. Lincoln: University of Nebraska Press, 1966, p. 132; grifo nosso). Esse pensar-sentir está nivelado com o fazer.

inspeção absoluta *é* o campo da consciência, na medida em que o campo da consciência é "coextensivo à vida" sob a propulsão de sua tendência autocondutora de trazer a si mesmo a uma nova expressão ativa.[87] O modo de existência da simpatia é o ser do pensar-fazer da vida. Deve ser pensado mais como um verbo do que como um substantivo, porque na lógica da mútua inclusão não há nada "por trás" da atividade. Há apenas modos de atividade entrelaçados que se diferenciam como aspectos ou lados do mesmo acontecimento.[88]

A consciência primária é não cognitiva e não representativa. Logicamente falando, não é nem indutiva nem

---

87 Bergson, *A evolução criadora* op. cit., p. 203. Sobre o ser de relação, cf. Simondon, *L'information à la lumière des notions de forme et d'information* op. cit., p. 63. Deleuze *Cinema 1 – a imagem-movimento* op. cit., no capítulo "A imagem-movimento e suas três variedades", coloca isso nos seguintes termos: a consciência não é *de* algo (como na fenomenologia), a consciência *é* algo (Bergson). O que ela "é", como veremos no suplemento 2, é "extrasser".

88 É sempre proveitoso recordar a declaração de Nietzsche, eloquente e frequentemente citada, quanto a esse princípio da autonomia do fazer: "Um *quantum* de força equivale a um mesmo *quantum* de impulso, vontade, atividade — melhor, nada mais é senão este mesmo impulso, este mesmo querer e atuar, e apenas sob a sedução da linguagem (e dos erros fundamentais da razão que nela se petrificaram), a qual entende ou mal entende que todo atuar é determinado por um atuante, um "sujeito", é que pode aparecer diferente. Pois assim como o povo distingue o corisco do clarão, tomando este como ação, operação de um sujeito de nome corisco, do mesmo modo a moral do povo discrimina entre a força e as expressões da força, como se por trás do forte houvesse um substrato indiferente que fosse livre para expressar ou não a força. Mas não existe tal substrato; não existe "ser" por trás do fazer, do atuar, do devir, "o agente" é uma ficção acrescentada à ação — a ação é tudo" (Nietzsche, *Genealogia da moral*, trad. bras. de Paulo César de Souza. São Paulo: Companhia das letras, 1998, p. 36). A filosofia ativista na qual o presente projeto de construir uma política animal se fundamenta adere a essa crítica da substância e da lógica de sujeito-predicado a ela associada (que está totalmente a serviço da lógica da mútua exclusão e de suas separações categoriais). O (pensar-)fazer é tudo; fazer tudo é uma subjetividade-sem-sujeito — um "desejar, querer, efetuar" sem nada por trás, a não ser seu próprio *momentum* para diante.

dedutiva, mas *abdutiva*.[89] Reproduz as lacunas do entremeio imanente com aquele mínimo de diferença que é a lacuna condicional entre o que essa vida — à qual a simpatia é coextensiva — "é" e "poderia ser". O ser da consciência inclui essa duplicidade condicional, suspendendo a referência e a representação. Isso já a torna reflexiva, na medida em que o ato de intuição que o cria já carrega em sua incipiência um movimento vital que reflete a imediatez do acontecimento em suas possibilidades.

Instinto é simpatia, em todos os níveis, em todas as suas formas. A bicada do filhote de gaivota-prateada já é um exercício de simpatia. Ela traça, na própria forma dinâmica, o delineamento negativo da ação do adulto que a retransmitirá. A paixão da jovem gaivota inclui a do adulto, em contraponto imanente. O mesmo pode ser dito da linguagem humana. Deleuze e Guattari insistem em que até mesmo o mais solitário ato de linguagem humana carrega, em contraponto imanente, todo um "povo por vir".[90] Até mesmo a mais elevada e elaborada linguagem participa da consciência primária. A ponta da língua e o dedo que tecla mergulham nela a cada meneio. Se instinto é simpatia, então a linguagem é instintiva

89 A abdução, como teorizada por C. S. Peirce, envolve um "julgamento perceptivo" imediato que afeta a singularidade de uma relação ocorrente. Ele fala disso, em termos especulativo-pragmáticos, como uma "hipótese" imediatamente vivida: o gesto de abarcar o "é" e o "poderia ser". O conceito de "abdução" expressa o teor lógico da consciência primária enquanto pensar-sentir nivelado com o fazer subjetivo sem sujeito. Cf. Peirce, *Pragmatism as a Principle and Method of Right Thinking*: *The 1903 Lectures on Pragmatism*. Albany: State University of Nova York Press, 1997, pp. 199-201; *The Essential Peirce: Selected Philosophical Writings*, v. 2. Bloomington: University of Indiana Press, 1998, pp. 155, 191-195, 204-211, 226-242 e especialmente pp. 223-234, em que ele comenta o conceito de "abdução" utilizando o exemplo do pensamento canino.

90 Deleuze e Guattari, *Mil platôs*, v. 4 op. cit., pp. 162-164; 47-48; *O anti-Édipo* op. cit., p. 32.

— não menos que a cambalhota de um filhote de lobo ou a bicada ávida do pássaro bebê.

Agora temos todas as peças em seus lugares para levantar a questão de: o que os animais nos ensinam sobre política. Mas é importante que deixemos claro. Não se trata, de maneira alguma, de repensar a política nos moldes do jogo. Absolutamente, não se trata de modelagem. O que os animais nos ensinam sobre política tem a mesma relação com a modelagem da brincadeira que os gestos lúdicos têm com aquilo que iriam denotar. Trata-se, então, de uma questão de *metamodelização*, assim como na brincadeira é uma questão de metacomunicação.[91] O que se faz necessário é abrir e manter uma lacuna entre a teoria da brincadeira animal da qual essa reflexão se desdobrou e a política que pode derivar dela. Para essa tarefa, não há interesse em flertar com qualquer suposta dialética entre brincadeira e combate. A desterritorialização recíproca através da qual a brincadeira se estende pode abranger diversos domínios de atividade e se estende a relações interespécies (como na simbiose). O entremeio é multifacetado. O entre-dois, que a dialética considera primário, é de fato um caso-limite.

Em vez de modelar a brincadeira, trata-se de extrair da brincadeira o que, na brincadeira, supera a sua dadidade. É necessário *extrair o lúdico da brincadeira*, a fim de encená-lo de maneira ainda mais extensa e autônoma. É necessário

---

91 Sobre metamodelização, cf. Guattari *Caosmose* op. cit., pp. 34-35, 42-44, 71-89; e Massumi (*Semblance and Event* op. cit., pp. 103-104). Guattari define a metamodelização como "atividade teórica [...] capaz de abarcar a diversidade dos sistemas de modelização" (*Caosmose* op. cit., p. 34). Ele enfatiza que a metamodelização é, por natureza, transindividual: ela "reside no caráter coletivo das multiplicidades maquínicas" envolvendo uma "aglomeração de fatores heterogêneos de subjetivação" coimplicados num movimento de "desterritorialização" (p. 43).

colocar o lúdico num movimento ainda mais intenso de transformação, vibrando com um entusiasmo do corpo ainda mais vivaz e abrangente. É preciso fazê-lo com gestos de pensamento performativos.

O elemento lúdico na brincadeira, a -esquidade, traz consigo uma transformação-*in-loco* transindividual que inicia um movimento de evolução potencial, que é fundamentalmente autoconduzido, numa autonomia de expressão inventiva. Esse é o princípio da primazia da tendência supernormal na vida animal. Entretanto, vimos que essa transformação-*in-loco* não se inicia sem assegurar que a autonomia da expressão seja lastreada por uma dependência quanto ao que já está expresso: uma assunção obrigatória dos imperativos da situação enquanto dada. O foco não deveria estar na noção redutiva de uma dialética entre brincadeira e combate, mas sim nessa pressuposição recíproca entre a autonomia da expressão, de um lado, e na dependência quanto ao já expresso, de outro: entre abstração vivida e importância vivida.

A abstração vivida através da autonomia da expressão corresponde à *estética*, que, por sua vez, corresponde à superação do que está dado no modo condicional de produção de possibilidade. A importância vivida, de sua parte, corresponde ao *ético*: a ancoragem da experiência incorporada nos imperativos expressados naquilo que já está dado.

O que aprendemos dos animais é a possibilidade de construir o que Guattari chama de *paradigma ético-estético* da política natural (em oposição a uma política da natureza).[92] A

---

92 Sobre o paradigma ético-estético, cf. Guattari (*Caosmose* op. cit, p. 163). A perspectiva contrastante é desenvolvida por Bruno Latour em *Políticas da natureza*. Para Latour, devemos deixar de lado o conceito de "natureza" a fim de poder aprender como construir um "*mundo comum*", agregando humanos e não humanos numa nova instituição democrática que finalmente cumpriria o ideal de ser

ideia de política natural já foi totalmente desbancada pelo pensamento crítico ao longo do último século. Agora é hora de relançá-la, -escamente — mobilizando todos os poderes que a falsa natureza provê.

---

verdadeira e inclusivamente representativa (*Políticas da natureza: como fazer ciência na democracia*, trad. bras. de Carlos Aurelio Mota de Souza. Bauru: Edusc, 2004, p. 23 e *passim*). Por outro lado, a questão, para Deleuze e Guattari, é reassumir e reintensificar o *continuum* natureza-cultura/humano-animal de modo a inventar *movimentos de singularização* irrepresentáveis constituindo uma democracia revolucionária no ato.

PROPOSIÇÕES

O que os animais nos ensinam sobre política
(*Esboço preliminar a ser preenchido de acordo com o apetite*)

1. Na esteira da obra de Bruno Latour, muitos encamparam o projeto de integrar às nossas concepções de prática política uma consideração quanto aos "agentes não humanos". Alguns, preocupados em evitar o antropomorfismo implícito de designar o outro apenas como o negativo do humano, começaram a falar em "entidades não convencionais".[1] A lição que o filhote de gaivota-prateada nos ensina é que, quando levamos em consideração a tendência supernormal que arrebata a todos nós, humanos ou não, é necessário reconhecer que *somos as nossas próprias entidades não convencionais*. Corolário: somos capazes de superar o que está dado na exata medida em que assumimos a nossa animalidade instintiva.

2. Uma política que reestabeleça os laços com a nossa animalidade, em seu movimento imanente de autossuperação naturalmente supernormal, *não pode ser baseada numa ética normativa, seja ela qual for.* A política animal não reconhece imperativo categórico, vive os imperativos da situação dada, imanentes a essa situação, e vive em paradoxo. Uma política como essa não reconhece a sabedoria da utilidade como critério de boa conduta. Antes mesmo, afirma o excesso lúdico. Ela não se atém à proporção áurea; vive excessivamente fora do

---

1 Cf. o colóquio no Collège International de Philosophie, em que o começo deste ensaio foi apresentado: *Intersections*. 30e Anniversaire du Collège International de Philosophie, jornada *Écologie: Des entités non-conventionelles*. Paris, 15 de junho de 2013.

entremeio. Seus engajamentos ético-estéticos ocorrem entre o temperamento imperativo da importância vivida e a autonomia do movimento vitalmente afetiva da abstração vivida, com a última assumindo a primazia. Essa primazia, é crucial salientar, é processual, e não moral. A tendência supernormal é a vanguarda do devir. Ela abre os caminhos da vida, mas, ao mesmo tempo, cada novo caminho aberto amadurece na forma de uma estrada batida. O que é superado se estabelece, se passar no teste da seleção adaptativa. Quando passa no teste, passa como captura, a ser posteriormente imposta como algo que está dado. É do processo da natureza, e da natureza do processo, o excesso lúdico passar à importância.

Isso não é nada menos que o processo da natureza, em seu sentido mais amplo. Logo, não se trata simplesmente de escolher uma em detrimento da outra, preferindo a autossuperação criativa à dependência em relação ao já-expresso, porque cada uma confere disposição à outra. A importância vivida confere à criatividade algo para se arranjar e a criatividade devolve o favor com um rendimento de dados recém-cunhados. O que está dado e o que o supera são articulados na junta gestual num ciclo de coprodução, cada um deles destinado ao outro à sua própria maneira. Afirmar um equivale a afirmar o ciclo da vida no qual ambos estão mutuamente incluídos.

Superar a ética normativa requer refrear a divisão dessas duas tendências, na tentativa de excluir uma delas (a supernormal, claro), o que sugere procurar caminhos para habitar coletivamente o entremeio dinâmico do seu entrelaçamento processual, a fim de compor com a sua diferença, reconhecendo a necessidade de sobrevivência da ancoragem na importância vivida, enquanto puxam as cordas gestuais que ativam a primazia processual da abstração vivida nas gêneses das formas de vida. Considerando o ciclo que conecta dinamicamente esses dois polos da corporalização coletiva da vida, é correto dizer que o movimento supernormalizante da inventividade vital está a serviço da produção da importância vivida nas variações emergentes, assim como a abstração vivida avança para longe dos imperativos que advêm com a importância vivida. É uma questão de perspectiva. É como o debate, na teoria neodarwiniana, sobre se o gene está a serviço da vida ímpar do organismo ou se o organismo está a serviço da reprodução do gene. A resposta lógica mutuamente inclusiva é: tanto uma coisa quanto a outra (e não exatamente ambas: uma coisa, a outra e o terceiro incluído da zona processual de indiscernibilidade).

3. Da proposição 2 decorre que o animal político *não reconhece qualquer oposição rígida entre o frívolo e o sério,* ou seja, entre o dispêndio entusiástico de energias criativas e a âncora da função e da utilidade. Ele se alimenta do paradoxo produtivo de sua aliança processual. A ética-estética não normativa resiste, com erupções de propulsão supernormal, às pesadas demandas, tão frequentemente ouvidas, de que as ações de alguém sejam "relevantes" a todo custo e de que "contribuam com a sociedade" de uma maneira já reconhecida. A política animal de educação precisa seriamente brincar com essas demandas.

4. O pensamento político floresce com a consciência primária não cognitiva. É pensamento em ato, nivelado com o gesto vital. A consciência não cognitiva é *ativamente não representativa.* No entanto, para todos os efeitos, já é reflexiva. É reflexiva no sentido especial de que os gestos que corporaliza deflagram e conservam a lacuna entre o "é" e o "poderia ser". Ser e devir refletem-se um no outro na unicidade do gesto ético-estético. A consciência primária é enativa. Tudo isso sugere uma política do gesto performativo, mesclando-se às práticas de arte improvisacional e participativa no selvagem (para além do território da galeria). Ético-estético = estético--político.[2] Essa orientação da política animal desperta uma suspeita em relação a conceitos como o "parlamento das coisas", de Bruno Latour. Sobretudo porque o mundo, em termos de fato processual, é mais povoado por acontecimentos do que por coisas. O mundo é feito mais primordialmente de verbos e advérbios que de substantivos e adjetivos. Ao farejar o parlamento das coisas, o acontecimento expressivo do animal já pode rosnar: cheiros de representação.[3] Um esforço a mais para deixar a política não representacional atuar até o talo supernormal!

5. A política animal também é obrigada a *se distanciar do conceito de "agência"*. A transindividualidade do processo de devir vital complica a questão da agência. O problema foi assinalado anteriormente: nenhuma causa eficiente pode ser isolada por trás do movimento de autossuperação da experiência. Esse movimento autocondutivo dispara *a si mesmo* de uma maneira irredutivelmente relacional. É mais uma questão de catálise do que de causalidade linear. A catálise é experiencial: diretamente vivida, num registro qualitativo, no meio transindividual da inspeção absoluta. Sua natureza qualitativa e vivida nos obriga a chamá-la de "subjetiva", apesar de toda estranheza no que tange ao entendimento comum da palavra; e a chamar seu potencial inventivo de superar o que está dado de "poder mental", muito embora esteja no mais estrito dos envolvimentos

---

2 Sobre isto, do ponto de vista de uma filosofia ontogenética acontecimental, cf. Massumi, *Semblance and Event* op. cit.

3 Cf. acima, nota 92, p. 76.

processuais com a corporalidade. É crucial registrar essa estranheza, particularmente quando nos referimos ao que é tradicionalmente considerado o complemento necessário do sujeito — o objeto. A subjetividade processual acontecimental aqui em questão não tem nenhum objeto como complemento estrutural. Só tem coisas por vir, e são menos "coisas" do que suplementos processuais — mais-valia de vida. Sobretudo, não deveria haver ilusões de que o poder mental da subjetividade processual resida numa "mente" (individual ou coletiva). É uma subjetividade não apenas sem uma causa eficiente por trás, mas também sem um sujeito por trás dela. O poder mental dessa *subjetividade-sem-sujeito* processual pode ser considerado espiritual, desde que signifique simplesmente um avivamento em termos relacionais e intensivos[4]. Ele comete atos espirituosos, com os quais coincide totalmente.[5]

---

4 Sobre esse sentido de "espiritual", cf. "No Title Yet" (Manning e Massumi, *Thought in the Act: Passages in the Ecology of Experience*. Minneapolis: University of Minnesota Press, 2014, pp. 59-80).

5 Como mencionado anteriormente, a referência aqui é ao conceito de "polo mental", tal como desenvolvido por Whitehead. Nunca é demais repetir que o polo mental não é substantivo (o mental, a mente). Ele é um modo de atividade que sempre compõe conjuntamente, em cada ato, com seu complemento, o polo físico (correspondente à "corporalidade" em nosso vocabulário). Esses dois aspectos de toda e qualquer ocasião estão em envolvimento direto e recíproco, sem um termo ou estrutura de mediação entre eles (seu envolvimento recíproco não é um acoplamento estrutural, mas sim coatividade numa zona de indiscernibilidade na qual distintos modos de atividade entram em ressonância e interferência). Esses polos contrastantes não são propriedades de um ser substancial. Em vez disso, são modalidades constitutivas de acontecimentos no fazer. A falta de mediação nessa "fase primária" da ocorrência dos acontecimentos impede qualquer apelo à representação e à sua companheira de viagem, a cognição, pertencentes àquilo que Whitehead chamaria de "últimos fatores" a entrarem na constituição das ocasiões da natureza. "O conhecimento [usado aqui como sinônimo de 'cognição'] é relegado à fase intermediária do processo [...] no geral, o conhecimento parece ser insignificante para além de uma complexidade peculiar na constituição de algumas ocasiões atuais" (Whitehead, *Process and Reality* op. cit., pp. 160-161).

6. Ainda que não normativa, a política ético-estética não acontece sem critérios de avaliação. A avaliação afeta a intensidade dos potenciais mentais de variação depositados na brincadeira. Dada a natureza não cognitiva da atividade ético-estética, a avaliação pertence necessariamente ao afeto. Pertence ao afeto em ambos os aspectos, afeto de vitalidade e afeto categórico, fazendo o balanço de sua mútua inclusão em cada uma das situações da vida, como signos de potencial ou signos de poder, respectivamente — estando esses últimos correlacionados à autonomia da expressividade, por um lado, e à dependência ao já-expresso, por outro. Brincando entre o ainda-por-vir-em-sua-total-expressão, de um lado, e a dadidade do já-expresso, de outro, *a política animal é uma política da expressão* indissociável de uma *política afetiva*. O principal critério disponível para as avaliações correspondentes é o grau a que o gesto político eleva o entusiasmo do corpo.

A intensidade é o valor supremo dessa forma de política, pela simples razão de ser experienciada como um valor em si, um-corpo com os puros signos de temperamento do expressionesco lúdico. Não se "faz" o entusiasmo do corpo tal como, no sentido corrente, dizemos que "fazemos" política. O entusiasmo do corpo é vivido em si e para si, puramente pela nova qualidade que ele confere ao desenrolar da experiência e, especialmente, por sua intensidade, aquele detalhe a mais. O elemento em excesso da intensidade de um ato constitui, em si, uma mais-valia de vida imediata; e, em seu desdobramento, uma mais-valia de vida emergente ainda-por-vir — ele vale por dois.

A afirmação gesticulada junto com o entusiasmo do corpo é, de uma só vez, ética e política. Em sua ausência, a vida tende a atolar na tendência pática de responder corporalmente a uma irritação ou a um estímulo negativo, por evitação ou negação.[6] Quando a vida sucumbe demais ao jugo da necessidade pática, perde o seu empuxo e o pouco de mais-valia que ele gera. Quanto mais a atividade da vida está sob a influência da tendência pática, mais sofre um déficit correspondente de paixão. Não há fundação transcendente para a preferência estético-política por mais-valia de vida. É que, em geral, entregar a vida de alguém para as labutas do pático dificilmente vale a pena. Qualquer coisa que sirva de empuxo à vida percebe isso imediatamente. É uma autoevidência sentida que opera como um critério de avaliação vivido imanente à experiência vital.

7. O entusiasmo do corpo não arrebata um sem arrebatar ao menos dois. Ele marca uma transformação-*in-loco* instantânea que é imediatamente transindividual por natureza. Logo, o paradigma ético-estético convoca uma *política da relação*. Um segundo critério de avaliação deriva disso, intimamente ligado ao critério da intensidade antipática: aquilo que eleva

---

6 Como utilizado aqui, "pático" e "*pathos*" (cf. acima, na discussão sobre os afetos categóricos; e abaixo, no suplemento 1) estão intimamente relacionados, mas não são sinônimos (ambos derivam da palavra grega para "sentimento", seus cognatos modernos carregando uma forte conotação de sofrimento passivo). O pático é definido aqui como atividade reduzida à reação negativa de evitação diante da dor ou da irritação, ou aos mecanismos de negação que emergem dessas reações. *Pathos* é o sentimento de submersão que advém com a predominância de uma reatividade pática na vida de alguém. O pático é a forma dinâmica da reatividade (o exercício exclusivamente negativo do poder mental quando a sua atividade é limitada à reação). O *pathos* é o afeto categórico associado a arenas dominadas pelo pático. A definição do pático, aqui, em termos de mentalidade, é outra advertência de que não há uma reatividade puramente fisiológica, como está geralmente implícito no conceito de "reflexo". Tampouco há atividade puramente fisiológica, sendo a mentalidade e a fisicalidade polos contrastantes mutuamente incluídos, de uma maneira ou outra, por mais insignificante que o polo mental possa ser, em todo acontecimento de corporalização. Guattari utiliza "pático" num sentido diferente, como sinônimo da consciência afetiva primária da intuição; logo, num sentido mais próximo ao modo como aqui é utilizado o termo "simpatia" (*Caosmose* op. cit., pp. 42-43).

a mútua inclusão dos díspares e dos diferentes a uma potência maior deve ser afirmado. Isso envolve gestos dotados de -esquidade que produzem graus mais altos de copossibilidade, abrangendo mais panoramas imanentes de inspeção absoluta desdobráveis em proliferações de variação. Implica intensificar a vida envolvendo, em cada circuito de potencialização recíproca, um número crescente de territórios existenciais, tendendo ao máximo supernormal, partilhando a mais-valia de vida o mais amplamente que os artifícios de abstração vivida possam permitir. Whitehead define a direção apetitiva do movimento da vida como uma meta de intensificação, que, por sua vez, ele define em termos da capacidade de um devir manter em si mesmo o máximo de termos contrastantes sem impor a eles a lei do terceiro excluído. Ele equaliza essa meta de intensificação (aqui, a tendência supernormal) como o processo estético da apetição, que, posteriormente, equipara ao "progresso" ético.[7] A política animal é uma ético-estética da autocondução da apetição por excessos imanentes cada vez mais inclusivos.

8. A exortação é geralmente considerada, tanto na política quanto na teoria cultural, verdadeira ao contexto das ações de alguém, levando conscientemente em consideração a história e o *habitus* do lugar, admitindo as obrigações implícitas embutidas nisso. Essa exortação virou uma toada familiar e é muito frequentemente repetida como um refrão, num tom de devoção. O animal político reconhece vivamente os imperativos do contexto em que se encontra (sob o aspecto enativo da "corporalidade"). A ético-estética da política animal é

---

7 Sobre todos esses pontos, cf. Whitehead (*Adventures of Ideas*. Nova York: Free Press, 1967, pp. 252-264; *Process and Reality* op. cit., pp. 162-163, 279-280).

fundamentalmente situacional. Mas há uma diferença importante entre contexto e situação.[8]

"Contexto" é um conceito geral. Tem a ver com aquilo que está embutido *in loco* de uma maneira geral particular àquele lugar — isto é, de uma maneira que se aplica geralmente ao que ali ocorre. O que ocorre é então considerado adequadamente entendido como uma instância particular da regra geral. Quando os imperativos *in loco* num dado contexto são analisados, é tipicamente em termos de códigos formais e informais governando interações de fundo e os papéis que por convenção lhes são associados. Um código é uma abstração cuja forma regente em geral preexiste aos particulares de sua enação contextual (isso é verdadeiro até quando o código é combinatório ou gerativo, no sentido estruturalista). Uma situação, por outro lado, tem a ver com singularidade, e não com particularidade.

O singular se encontra em oposição tanto ao particular quanto ao geral (eles vêm num pacote). Tudo numa situação é potencialmente arrebatado no movimento de enação, com uma abertura para a forma final que ainda será determinada, num devir singular catalisado pelos gestos performativos que ganham forma. Essa singularização afeta até mesmo potencialmente os códigos *in loco*, suscetíveis aos próprios devires, através de suspensões supernormais de sua forma já dada. As situações não são de conformação (aplicação que produz conformidade de uma regra), mas de in-formação (um tomar--forma ou buscar-forma imanente à ação situada).

O movimento em direção à determinação de novas formas, ou variações das formas existentes, atravessa tendencialmente a situação rumo a uma situação nova e diferente que

8 Massumi, *Parables for the Virtual* op. cit., pp. 212-213.

irá sucedê-la. Isso envolve potencialmente uma passagem de uma de atividade para outra. O movimento de in-formação é transsituacional por natureza. Se o processo in-formacional repete formas dadas ou padrões formais herdados, é somente porque o movimento transsituacional pôde *regenerar* a forma prévia do que está dado através de meios imanentes, recorrendo aos próprios recursos processuais. O que é pensado como aplicação conformativa de uma regra preexistente é, na verdade, processualmente falando, um tornar-se limitado aos estreitos parâmetros dispostos por um imperativo herdado de voltar a fazer brotarem as formas do passado. A codificação, desse ponto de vista, é o mais baixo grau limitante da tendência supernormal. Whitehead explica que o que facilita essa conformação portadora de código ao passado (o que neste ensaio foi analisado como uma dependência ou aquiescência ao que está dado) não é a permanência no lugar das formas já determinadas, tampouco suas transmissões como entidades prontas, mas sim germes de in-formação, buscadores-de-forma embrionários plantados no território, e que são repetidamente replantados por mecanismos de recaptação imanentes a cada situação sucessiva, trazidos pelas tendências transituacionais que se alastram por elas como uma infecção. Esses são os fatores genéticos que permanecem na mistura catalítica, rebrotando infecciosamente a forma conformativa de um apoio imanente ao movimento processual.[9] Eles operam naquilo que Deleuze e Guattari caracterizariam como nível micropolítico.[10]

9 Whitehead, *Adventures of Ideas* op. cit., pp. 203-204.
10 Deleuze e Guattari, *Mil platôs*, v. 3 op. cit., pp. 68-70, 91, 94, 89; Massumi, "Of Microperception and Micropolitics". *Inflexions: A Journal for Research Creation*, n° 3, Montreal, 2009.

A micropolítica é a dimensão dos acontecimentos na qual as tendências supernormais de decodificação e desterritorialização tornam-se excessivamente sentidas. O micropolítico não é o oposto do macropolítico, mas sim seu correlato processual. Não faz sentido falar do micropolítico fora de sua mútua inclusão com o macropolítico — o nível dos códigos e das regras gerais e éticas normativas —, assim como não faz sentido separar a abstração vivida da corporalidade ou o afeto categórico do afeto de vitalidade. Mas também é crucial ter em mente que a mútua inclusão do macro e do micropolítico, assim como toda mútua inclusão, não é somente diferencial, mas também assimétrica. Há um excesso criativo de intensidade do lado do micropolítico. O micropolítico é da ordem do gesto vital, supernormalmente orientado. O macropolítico é da ordem da conformação. Portanto, a distinção entre eles não é de escala, mas de modos de atividade qualitativamente diferentes ou de tendências contrastantes.

A dupla proposição que advém dessas considerações é a seguinte: *a política animal resiste às devoções do contexto* e, para ter êxito nessa tarefa, deve *praticar a vigilância micropolítica* em relação aos germes conformativos infecciosos.[11] Conservando a ética transsituacional, a política animal microinocula o elemento de dependência do já-expresso com uma

---

11 Quando esses germes conformativos renovam sua aliança com a tendência supernormal, assumindo o encargo da intensidade sem afirmar sua indeterminação, a infecção torna-se virulenta e o contágio "microfascista" resulta disso (Deleuze e Guattari, *Mil platôs*, v. 1 op. cit., pp. 17-18; *Mil platôs*, v. 3 op. cit., pp. 90-92, 110). O microfascismo é um modo de devir entravado, patinando no paradoxo estéril derradeiro de um devir conformativo intensamente apetitivo. Quando um movimento microfascista domina o Estado e outros aparatos políticos molares (como aconteceu no Nazismo e no Fascismo Italiano), o paradoxo da patinada processual a uma velocidade extremamente apetitiva explode numa violência mortífera e, em última análise, suicida (cf. Ibid., pp. 113-114). O fascismo é uma autonomia de expressão que se torna fundamentalmente destrutiva.

dose liberal de exageração improvisacional e de entusiasmo deformativo-transformativo — em resumo, autonomia criativa de expressão.

9. O paradigma ético-estético da política animal é particularmente atento aos modos de pensamento enativados nos gestos não verbais. Mas essa atenção especial à abstração vivida em níveis não verbais não implica, de maneira alguma, uma negligência da linguagem. Como vimos, os atos instintivos dos animais já incluem a linguagem em potencial nos seus elementos lúdicos. Os gestos vitais da brincadeira animal mostram uma reflexividade no-ato que realmente produz as condições da linguagem humana. A política animal e sua metamodelização *fazem a linguagem brincar*. Brincar com a linguagem significa fazer *uso instintivo* da mesma, e isso consiste no emprego gestual das palavras como catalisadores de atos de linguagem que efetuam transformações-*in-loco* diretas, as quais chacoalham a corporalidade e recuperam a apetição, propulsionando a atividade vital na direção de uma variação transsituacional.[12]

10. As reservas que o paradigma ético-estético possui quanto aos modelos cognitivos do pensamento envolvem pronunciados receios em relação a qualquer lógica construída em torno do princípio do terceiro excluído — mas, de maneira alguma, em relação à lógica como um todo. *A política animal afirma ativamente uma lógica de mútua inclusão*. Ela saúda o terceiro incluído com entusiasmo, na forma de efetivos paradoxos desempenhados.

12 Sobre as "transformações incorpóreas" que são efetuadas na e pela linguagem e atribuem-se às corporificações, cf. Deleuze e Guattari (*Mil platôs*, v. 2, pp. 19-27). Sobre os poderes de variação da linguagem em sua relação com transformações incorpóreas (pp. 30-33).

A lógica de mútua inclusão nada sabe das oposições exclusivas. Ela reconhece contrastes em abundância, mas os termos contrastantes são sempre entendidos como estando numa relação de pressuposição recíproca, como modalidades de ação que pertencem diferencialmente ao mesmo processo — em resumo: como "dinamismos". Como fatores contribuintes do processo, os dinamismos contrastantes entrelaçam-se sem que suas diferenças sejam apagadas. Fundem-se performativamente sem se confundirem. Em seus dinamismos discrepantes, eles são fatores modais: modos de atividade. Sendo fatores modais de atividade, estão essencialmente em movimento. Embora às vezes seja necessário interpretar seus contrastes em termos de diferenças de grau num *continuum* de atividade qualitativo, ou até mesmo como diferenças de tipo que entram em várias misturas, o modo como são derradeiramente distinguidos é pela orientação de seus movimentos. Em outras palavras, eles são mais bem compreendidos como *tendências*.

As tendências são diferenciadas pelos polos entre os quais se estendem os seus vetores: são definidas pelos seus limites. A lógica da mútua inclusão não concerne, prioritariamente, a formas ou objetos, ou até mesmos a sujeitos. A tendência é o que a alimenta. É no entrelaçamento dos movimentos tendenciais que formas, objetos e sujeitos são constituídos, em emergência perpétua e variação contínua. Como enfatiza Bergson, as tendências não se distinguem umas das outras da maneira mutuamente exclusiva com que as formas, objetos e sujeitos distinguem-se uns dos outros. As tendências podem combinar forças sem se excluírem mutuamente. De fato, é uma vocação misturarem-se. Muito embora sejam logicamente distinguíveis por sua polaridade e orientação, nunca ocorrem naturalmente sozinhas. Toda situação sempre ativa um misto delas. Em toda situação, ocorrem conjuntamente sem coalescer. Elas ressoam e interferem umas nas outras, inibem-se ou prolongam-se umas as outras, enfraquecem-se ou potencializam-se umas as outras, capturam-se ou entram em simbiose mutuamente benéfica. No vocabulário de Bergson, elas "interpenetram" uma zona de indiscernibilidade enquanto se mantêm logicamente distintas quando consideradas como vetores que por essa zona se movimentam.

A habilidade de interpenetrar, de misturar-se efetivamente sem se confundir, é uma característica definidora da mentalidade, de acordo com Bergson.[13] As tendências não são nada mais que o movimento criativo do polo mental da natureza — "criativo" porque de suas interpenetrações dinâmicas emergem variações qualitativas. As tendências, em seu movimento "mental", constituem subjetividades-sem-sujeito: puros fazeres, sem fazedor por trás — sem nada por trás, exceto seu próprio *momentum* adiante.[14] Estes se autopropelem, por natureza, em direção à superação do que está objetivamente dado. Sua forma dinâmica é o em-andamento da natureza. Em todo lugar na natureza trata-se de misturas criativas de tendências de graus variantes de poder autocondutor, correspondendo a graus de mentalidade integral ou de consciência

---

13 "A vida, na verdade, é de ordem psicológica, e é da essência do psíquico envolver uma pluralidade confusa de termos que se interpenetram [mútua inclusão numa zona de indiscernibilidade]" (Bergson, *A evolução criadora* op. cit., p. 279). "Com efeito, os elementos de uma tendência não são comparáveis a objetos justapostos no espaço e exclusivos uns dos outros, mas antes a estados psicológicos, cada um dos quais, ainda que seja primeiramente ele próprio, participa, no entanto, dos outros e contém assim virtualmente toda a personalidade a qual pertence" (p. 129).

14 Sobre o conceito de subjetividades sem sujeito em Deleuze, Guattari e Ruyer, cf. Bains, "Subjectless Subjectivities" in Brian Massumi (org.) *A Shock to Thought: Expression after Deleuze and Guattari*. Londres: Routledge, 2002, pp. 101-116. O puro fazer, sem fazedor por trás, refere-se novamente à passagem de Nietzsche citada na nota 88, p. 73.

absolutamente autoinspecionantes. Esses graus de consciência são sempre enativos. São pensares-fazeres. São também, ao menos germinalmente, reflexivos, da maneira antes evocada na discussão sobre a inspeção absoluta e a consciência primária. Do ponto de vista do afeto com o qual emergem, são pensares-sentires a-fazentes.

A lógica tendencial de mútua inclusão atribui duas tarefas à metamodelização da vida criativa do animal. Primeiro, sua teoria do político deve sempre começar com o gesto de analisar as misturas, entendidas não como combinações de termos em relações externas uns com os outros (combinatórias, montagem parte a parte, hibridização), mas em termos de mútua inclusão, com os efetivos paradoxos que a acompanham. A avaliação dos acontecimentos vitais deve começar com uma avaliação das tendências em jogo. Uma vez que seus polos-limite e orientações estejam definidos, a questão se torna o grau e a natureza de suas participações nos gestos enativos na brincadeira, os movimentos subsequentes que catalisam e os territórios existenciais que esses movimentos envolvem. Os dois critérios de avaliação acima discutidos pertencentes à intensidade são calcados nessa análise das misturas tendenciais e a ela devem suas capacidades discriminatórias.[15]

---

[15] "O estudo do movimento evolutivo consistirá, portanto, em destrinçar um certo numero de direções divergentes, em apreciar a importância do que ocorreu em cada uma delas, numa palavra, em determinar a natureza das tendências dissociadas e em fazer sua dosagem. Combinando então essas tendências entre si, obteremos uma aproximação ou antes uma imitação do indivisível princípio motor do qual procedia seu elã. O que significa que veremos na evolução algo bem diferente de uma série de adaptações às circunstâncias, como o pretende o mecanicismo, algo bem diferente também da realização de um plano de conjunto, como o pretende a doutrina da finalidade" (Bergson, *A evolução criadora* op. cit., p. 111). Sobre a necessidade de uma análise cuidadosa das misturas tendenciais a fim de evitar "falsos problemas", cf. Deleuze, *Bergsonismo*, trad. bras. de Luiz B. L. Orlandi. São Paulo: Editora 34, pp. 7-26.

A segunda tarefa é reflexiva. Consiste em desenvolver ferramentas para a meta-descrição das misturas tendenciais, adicionando-as continuamente à caixa de ferramentas tão logo novas situações singulares emerjam e implorem por uma análise verdadeiramente capaz de levar em conta suas singularidades. A metamodelização da vida animal e da política natural consiste na produção de um campo conceitual no qual abrigar o crescente *ménagerie* de entendimentos singulares. Isso requer uma atividade metaconceitual dedicada a construir vias de mutuamente incluir no pensamento um *ménagerie* sempre em expansão dos modos singulares de tendências pertencendo, em termos processuais, umas às outras, enquanto respeitam com cautela suas naturezas irredutivelmente contrastantes (i.e., sem generalizar e sem confundir sua singularidade com uma instância particular de uma regra geral). Esse pensamento dos pensares-fazeres participatórios não pode se dispor a ficar longe das situações e acontecimentos nos quais as tendências interpenetram. A metamodelização deve ser resolutamente pragmática, mesmo enquanto constrói abstrações vividas da mais alta ordem.[16]

A necessidade pragmática requer que cada projeto de metamodelização imagine por si mesmo o que poderia ser um laboratório filosófico adequado aos seus fins. Toda metamodelização precisa construir um *laboratório filosófico*. Para tanto, precisa de técnicas. Se a política ético-estética é uma política

16 Guattari conecta explicitamente a metamodelização a uma lógica do devir baseada na mútua inclusão: "A lógica tradicional dos conjuntos qualificados de maneira unívoca, de tal modo que se possa sempre saber sem ambiguidade se um de seus elementos lhes pertence ou não, a metamodelização esquizoanalítica substitui uma ontológica, uma maquínica da existência cujo objeto não é circunscrito ao interior de coordenadas extrínsecas e fixas, que supera a si mesmo, que pode proliferar ou se abolir com os Universos de alteridade que lhes são compossíveis" (Guattari, *Caosmose* op. cit., p. 95).

da relação, se suas construções metaconceituais incidem no pertencimento, então as técnicas necessárias não podem ser outra coisa senão as técnicas vivas de relação abstrativa: técnicas relacionais de abstração vivida.[17] A metamodelização da política animal tem de abrir as próprias operações à tendência supernormal de superar aquilo que está dado, ao qual concerne prioritariamente. Um poder mental de superar o que está dado é uma definição de especulação. A forma de pragmatismo aqui em questão é o *pragmatismo especulativo*. Um alerta: há muitas formas de pensamento especulativo e de pragmatismo que não são tendenciais, criativas ou concernentes ao desenvolvimento da lógica singular da mútua inclusão (comprador, tenha cuidado!).

Nota: O propósito do alerta é assinalar uma divergência entre o pragmatismo especulativo desenvolvido aqui e, de um lado, as filosofias pragmáticas, para as quais função e a utilidade são primárias; e, de outro, o realismo especulativo e a ontologia orientada ao objeto. Como uma ontologia baseada na substância, a ooo, tal como desenvolvida por Graham Harman, está fundamentalmente em desacordo com filosofias ontogenéticas orientadas ao processo, cujas noções supremas são mais a atividade e o acontecimento do que a substância, e cuja tarefa filosófica é pensar mais a subjetividades-sem-sujeito do que o objeto sem o sujeito.[18] A versão influente de Quentin Meillassoux para o realismo especulativo aplica

---

17 Sobre as técnicas relacionais de onde deriva o presente projeto, cf. Manning e Massumi, "Propositions for Thought in the Act" in *Thought in the Act* op. cit., pp. 83-134, em que são discutidas as técnicas e a construção de conceitos do laboratório filosófico SenseLab (<senselab.ca>). Sobre pragmatismo especulativo, cf. Massumi, *Semblance and Event* op. cit., pp. 12-15, 29-38, 85).

18 Graham Harman, *Guerilla Metaphysics: Phenomenology and the Carpentry of Things*. Peru: Open Court, 2005.

severamente a lei do terceiro excluído, ou a lei da não contradição, e lida com as aporias a isso associadas apelando não à
positividade da mútua inclusão, mas à contingência — entendida não criativamente, mas negativamente, como a suprema
impossibilidade de aplicar a lei do terceiro excluído de uma
forma que de fato exclua a incerteza.[19] O pragmatismo especulativo, por outro lado, abraça apaixonadamente a incerteza,
com todos os poderes produtivos do paradoxo efetivo. Abraça
a incerteza, mas não demonstra qualquer interesse pela contingência absoluta, nas bases processuais de que, onde quer
que possa penetrar o pensamento, sempre já vai ter havido
um tomar-determinada forma, de modo que o mundo está
cheio de resíduos de emergências passadas. Por essa razão,
a contingência nunca é absoluta, porque tudo o que dela se
desdobra tem de escolher um caminho em meio aos resíduos
que constrangem seu curso. Nos termos de Whitehead, o desdobramento da contingência é sempre relativo ao "mundo
estabelecido". Até mesmo a contingência quântica na física é
ou capturada por processos físicos de nível superior que não
são puramente contingentes (a estrutura e a periodicidade
do átomo, antes de tudo), ou perece tão rapidamente quando
surge, não deixando qualquer efeito e, portanto, não tendo
qualquer existência efetiva (partículas virtuais no vazio quân-
tico). Em qualquer lugar, exceto no ponto de fuga não efetivo
da existência, a contingência absoluta é uma criação puramente formal da lógica (como a contradição, pertencendo por
diferentes razões ao especioso do negativo).[20] A contingência,

19 Quentin Meillassoux, *After Finitude: An Essay on the Necessity of Contingency*, trad.
ing. de Ray Brassier. Londres: Continuum, 2008. Para mais informações sobre a
ooo e o realismo especulativo, cf. nota 2 p. 125.

20 Para a clássica crítica do negativo de Bergson, cf. *A evolução criadora* op. cit., pp.
314-352.

como ocorre no mundo, está nas lacunas constitutivas fatorando todas as emergências e, novamente, nas lacunas entre as estabilizações (capturas). A contingência, como pertencente à emergência e à insubordinação à captura, deve ser pensada positivamente em termos de espontaneidade, não negativada como acidental (a simples ausência de uma causa suficiente) ou assimilada ao meramente incerto em termos lógicos.[21]

11. A política animal é uma *pragmática da mútua inclusão*. Essa mútua inclusão se aplica até mesmo, ou especialmente, à diferença genérica entre o humano e o animal. Diferenças

---

[21] O mesmo argumento se aplica ao caos. O fato de que sempre houve um ganhar-forma determinado, e de que o mundo está cheio de resíduos de emergências passadas, significa que a situação é sempre, como diz James (*Essays in Radical Empiricism*. Lincoln: University of Nebraska Press, 1966, p. 63), de *"quase-caos"*. Para Deleuze e Guattari, o caos é o limite imanente do pensamento e da existência onde há "variabilidades infinitas cuja desaparição e aparição coincidem" (Deleuze e Guattari, *O que é a filosofia?* op. cit., p. 259). Esse é o limite de mútua inclusão, onde variabilidades infinitamente conectadas não se afastam mais depressa do que se aproximam umas das outras no "plano de imanência". Quando um modo de atividade se aproxima desse limite, uma formação "semicaótica" ou "caóide" emerge criativamente por um processo autocondutor de "caosmose" (Ibid., pp. 262-264, 266). O caos não pode ser pensado ou sentido como tal, e ele não tem existência (mais que existir, o caos "subsiste" no virtual, no vazio, ineficaz), exceto quando "reticulado" ou "filtrado" numa forma pelos caóides, dentre os quais figura, de modo proeminente, a arte. O caos, nesse sentido, é "composto". Outro nome para plano da imanência é "plano da composição". O caos é o lado oposto da morfogênese, da emergência criativa da forma: uma vez mais, dois lados indissociáveis da mesma moeda processual. Ainda assim, há sempre um excesso ou resíduo do caos, algo que elude a captura, forçando o seu processo de composição a se repetir serialmente. *A espontaneidade é o movimento positivo em direção ao limite do caos, reverberando em emergência criativa* e re-reverberando iterativamente. Assim entendida, a espontaneidade concerne à solidariedade de caso-limite das variabilidades infinitamente conectadas definidoras do caos. O próprio limite pode ser considerado como contingência absoluta, mas apenas se a contingência absoluta for sentida como coincidindo com o vazio imanente de uma solidariedade infinitamente movente e dinâmica de elementos que aparecem e desaparecem uns nos outros, e não a infinita soltura entre elementos geralmente conotada pelo termo.

genéricas, como a separação entre espécies animais, pertencem à lógica da mútua exclusão. Quando algo excede ou escapa à contenção de sua categoria genérica designada, sua singularidade aparece, na lógica da mútua exclusão, como um negativo, como uma falta ou deficiência. A única alternativa possível fica entre ser subsumido à categoria apropriada e a indiferença: entre a identidade genérica e a indiferenciação, distinção muito rígida ou indistinção. A diferença genérica não diz respeito realmente à diferença: diz respeito a entidades mutuamente exclusivas.

O pensar-fazer animal da política recusa-se a reconhecer as diferenças genéricas como fundacionais, precisamente a fim de pensar o singular. Sua lógica natural de mútua inclusão — a lógica paradoxal daquele que interpenetra sem perder sua distinção — é projetada para evitar a escolha infernal entre identidade e indiferenciação.

Para a lógica da mútua inclusão, a indiferença não é a única alternativa à mútua exclusão (em contraposição a Agamben).[22] Ela reconhece que há zonas de indiscernibilidade

---

22 Para Giorgio Agamben, a única alternativa à mútua exclusão é precisamente cair numa zona de indiferença, uma "zona de irredutível indistinção" (*Homo Sacer* op. cit., p. 12). Para a política animal, a zona de indiscernibilidade é o próprio movimento de autossuperação. Na perspectiva deste ensaio, o livro de Agamben, *O aberto: o homem e o animal*, (trad. bras. de Pedro Mendes. Rio de Janeiro: Civilização brasileira, 2017) sobre o animal carrega o vício da recusa em considerar a possibilidade de inventar um caminho para fora da lógica do terceiro excluído que não seja a indiferenciação. O entendimento pós-heideggeriano do animal como "pobreza de mundo", em torno do qual gira a análise de Agamben, é inteiramente dependente de uma noção tradicional de instinto como uma sequência automática de ações liberadas por um "desinibidor" (pp. 83-87). Mesmo se a separação homem-animal que isso instila fica "suspensa" no final, ela jamais é superada. Para Agamben, não há alternativa a ela, a não ser pela via negativa de aceitar seu caráter fundamental tornando-a "inoperante", e, com isso, o potencial e a atividade do humano animal são reduzidos a uma "grande ignorância [...] fora do ser" (p. 144) — como o animal, do qual o humano agora se distingue ao *apropriar-se*

entre as espécies (um conceito cuja dependência em relação à lógica do terceiro excluído está sob forte ataque de dentro da própria biologia, que, quanto mais se harmoniza com a produção de variação contínua da natureza, menos é capaz de fixar diferenças genéricas, para não mencionar as genéticas, entre populações animais).[23] A lógica da mútua inclusão concebe essas zonas de indiscernibilidade positivamente, como cruciais à emergência do novo. Longe de serem zonas de indiferença que absorvem e invalidam a atividade, elas estão apetitivamente superlotadas de atividade no movimento tendencial. São verdadeiros ninhos de cuco de atividade incipiente, a partir dos quais advém *mais* diferença. A lógica da mútua inclusão é a lógica da *diferenciação*: o processo da contínua proliferação de diferenças emergentes.

Como já mencionado, para viver sua vocação pragmática, a política animal não apenas pensa sobre a mútua inclusão, ela precisa praticá-la. Para membros da espécie humana,

---

desse estado-base da animalidade (p. 124), em vez de ser instintivamente "cativado" por ele como os não humanos são. Entretanto, ainda há um caminho a ser encontrado — conforme observa Agamben em sua conclusão — para o animal e o humano sentarem juntos no "banquete messiânico dos justos" (p. 144).

23 O problema com as espécies até virou notícia. Do *The Guardian*: "Testes genéticos em bactérias, plantas e animais revelam, cada vez mais, que diferentes espécies cruzam mais do que o pensado originalmente, o que significa que, em vez de os genes serem simplesmente transmitidos para galhos individuais da árvore da vida, eles também são transferidos entre espécies que estão em trajetórias evolutivas distintas. O resultado é uma 'rede da vida' mais confusa e emaranhada. Micróbios trocam material genético de maneira tão promíscua que pode ser difícil distinguir um tipo do outro, mas os animais também cruzam regularmente — assim como as plantas — e as proles podem ser férteis [...] 'A árvore da vida está sendo educadamente enterrada', disse Michael Rose, um biólogo evolucionista da Universidade da Califórnia, em Irvine. 'O que é menos aceito é que toda nossa visão fundamental da biologia precisa mudar'". Ian Sample, "Evolution: Charles Darwin Was Wrong about the Tree of Life". *The Guardian,* 21 de janeiro de 2009. Disponível em: <www.theguardian.com/science/2009/jan/21/charles-darwin-evolution-species-tree-life>.

sua prática envolve o "devir-animal", como conceituado por Deleuze e Guattari.[24] O pensar-fazer animal evita o gesto demasiado fácil de simplesmente borrar as diferenças genéricas. Não se contenta com desconstruir ou proclamar as virtudes do híbrido (o conceito de hibridização baseia-se em misturas, não entre tendências, mas entre formas já-dadas, e sua lógica é mais combinatória que criativa). O pensamento animal afirma, de fato, diferenças genéricas — diferenças de tipo —, mas à sua maneira: em inspeção absoluta; sem lhes atribuir qualquer status fundacional. Ele as encena, e contracena, com *continua* de diferença em grau, arrebatando derradeiramente todas elas num movimento interpenetrante de uma tendência produtora-de-ainda-mais-diferença. Ele inspeciona imanentemente a inclusão das diferenças no campo da vida e da consciência, afirmando-as a partir do ângulo singular do devir mutuamente inclusivo.

12. A política animal é uma *política do devir*, até mesmo — e especialmente — do humano.

13. Críticas enérgicas, com base no antropomorfismo, são por vezes orientadas contra abordagens — como a aqui proposta — que afirmam a mútua inclusão das formas de vida humanas e não humanas no mesmo *continuum* da vida animal. A acusação é a de que esse tipo de abordagem cai necessariamente na armadilha antropomórfica de projetar características humanas em animais não humanos, mais especialmente quando o *continuum* é também entendido em termos de uma mútua inclusão de consciência e vida.

A acusação de antropomorfismo é lançada em nome do

---

24 Cf. suplementos 1 e 2.

respeito às diferenças. Você está falando em pensamento animal? Afetos e emoções animais? Desejo animal? Criatividade animal? Subjetividade animal, até? Projeção! Pura projeção negadora de diferenças. Não é outra coisa, senão uma falta de respeito pelas diferenças radicais entre os modos de existência — mais um ato de dominação antropocêntrica apagando a diferença do "outro". A política animal não dá muito espaço a essas críticas. Elas ainda estão trabalhando dentro da lógica tradicional, segundo a qual a única alternativa à mútua exclusão é a indiferenciação — neste caso, sob a aparência de uma suposta confusão projetiva. Essa alternativa só é reforçada pela noção de diferença "radical".

Críticas como essa não levam em conta a possibilidade de uma lógica de tendências que se interpenetram sem se borrar, nem levam em conta o movimento de transindividuação que cria ainda mais diferenças, numa exibição animal das variações vitais. Eles não sabem nada a respeito da pressuposição recíproca dos modos de existência na corrente da vida incessantemente autodiferenciadora.

A lógica da mútua inclusão esquiva-se da alternativa infernal entre a solidão das diferenças genéricas e a gosma de indiferenciações em que essas acusações de antropomorfismo estão implicitamente baseadas. Ela coloca o humano num *continuum* com o animal precisamente a fim de respeitar mais a proliferação de diferenças: o movimento da natureza pelo qual a vida sempre segue se a-diferindo. Ela vira facilmente a acusação de antropomorfismo contra os acusadores. Não é o auge da arrogância humana supor que os animais *não* têm pensamento, emoção, desejo, criatividade ou subjetividade? Acaso isso não é delegar novamente aos animais o status de autômatos? Até mesmo a posição agnóstica, nessas questões, ainda confere credibilidade demais ao modelo mecanicista da vida animal. A posição agnóstica consiste apenas na recusa a se pronunciar acerca dessas questões, declaradamente por um respeito pela diferença, mas que é sobrecarregado, beirando a devoção. Mas permanecer calado acerca da natureza das diferenças não é perigosamente próximo de silenciar a diferença? Que falta de respeito! E se pensamento, emoção, desejo, criatividade e subjetividade animais são de fato afirmados, mas sem o duro trabalho filosófico de reexaminar a própria lógica da diferença, isso resulta num pluralismo muito fácil baseado numa tolerância muito humana. A acusação mordaz de antropomorfismo erra o alvo e vê a flecha voltando em sua própria direção.

A abordagem da política animal aqui aventada inverte a crítica. Não no sentido, é claro, de afirmar a projeção humana de suas próprias características no animal. É justo o contrário: ela envolve o humano num *animocentrismo integrado* no qual ele perde sua dominância *a priori* sem, entretanto, sua diferença ou a de seus pares animais serem borradas ou apagadas. Ela intima o humano a se tornar animal, não os animais a renunciarem aos seus poderes vitais há tempos erroneamente assumidos como sendo território exclusivo dos humanos.

Nota: O ponto de corte do "*continuum* animal" é inatribuível, assim como o da vida. Animalidade e vida não podem ser estritamente delimitadas em relação ao inorgânico. Essa é uma inescapável consequência da afirmação da lógica da mútua inclusão. Chamar de "animal" o *continuum* da natureza de mútua inclusão é, desse ponto de vista, algo arbitrário. *Continua* de mistura tendencial são compreendidos, o mais convenientemente, a partir de um lugar terceiro: o meio. Isso porque os polos de movimentos tendenciais são ideais: movimentos de um ponto de partida que nunca foi ocupado, porque na realidade nunca houve nada além de misturas na natureza; e movimentos rumo a um ponto de destino que nunca é alcançado porque tendências nunca terminam, de modo que as misturas nunca cessam. Outro modo de dizer isso é afirmar que as tendências são definidas por *limites virtuais*.[25] Falar em animalidade é uma maneira de começar no meio, como Deleuze e Guattari afirmam sempre ser melhor.[26] Pragmaticamente, é sempre melhor começar bem no meio da gloriosa bagunça que é o mundo real, onde a abstração vivida já está sempre adulterada pela importância vivida, concedendo ao pensar-fazer uma participação efetiva. O *continuum* da natureza poderia muito facilmente ser chamado de *continuum* da criatividade, ou da consciência, ou do instinto, ou da vida, ou até mesmo da matéria (redefinida de modo a não ser mutuamente exclusiva em relação a esses ou ao virtual, produzindo um "materialismo incorpóreo").[27] Ou — por que não? — até mesmo do vegetal. A escolha por "*continuum* animal" como denominação dominante aqui tem uma motivação simples, mas crucial: com um pouco de imaginação, permite que as questões em jogo girem em torno da brincadeira.

"Até mesmo do vegetal": Bergson, de acordo com sua lógica de mútua inclusão diferencial, descreve um entrelaçamento de tendências de maneira que as plantas participam da animalidade e vice-versa:

> Para começar [...], digamos que nenhuma característica precisa distingue o vegetal do animal. As tentativas feitas para definir rigorosamente os dois reinos sempre

---

25 O caos, tal como descrito na nota 21, p. 97, é o limite virtual imanente a todas as tendências vitais. Nesse sentido, é o limite absoluto da vida.

26 Deleuze e Guattari, *Mil platôs*, v. 1 op. cit., pp. 12-14.

27 Sobre o materialismo incorpóreo, cf. acima, nota 74, p. 62.

fracassaram. Não há nenhuma propriedade da vida vegetal que não tenha sido reencontrada, em algum grau, em certos animais; nenhum traço característico do animal que não se tenha observado em certas espécies, ou em determinados momentos, no mundo vegetal. Compreende-se então que biólogos ávidos de rigor tenham tomado por artificial a distinção entre os dois reinos. Teriam razão, se aqui a definição precisasse ser feita, como nas ciências matemáticas e físicas, por meio de certos atributos estáticos que o objeto definido possui e que os outros não possuem. Muito diferente, a nosso ver, e o tipo de definição que convém às ciências da vida. Não há realmente manifestação da vida que não contenha em estado rudimentar, ou latente, ou virtual, as características essenciais [diferenças de tipo] da maior parte das outras manifestações. A diferença está nas proporções. Mas essa diferença de proporção [diferença de grau] bastará para definir o grupo no qual pode ser encontrada, se pudermos estabelecer que essa diferença não é acidental e que o grupo, à medida que evoluía, tendia cada vez mais a *enfatizar* essas características particulares. Em resumo, *o grupo não será mais definido pela posse de certas características* [seguindo uma lógica de substância-predicado], *mas por sua tendência a acentuá-las* [diferenciação tendencial estabelecendo conjuntamente diferenças de grau e de tipo num movimento de autotransformação]. Se nos colocamos desse ponto de vista, se levamos em conta menos os estados do que as tendências, descobrimos que vegetais e animais se podem definir e distinguir de um modo preciso e que correspondem realmente a dois desenvolvimentos divergentes da vida.[28]

28 Bergson, *A evolução criadora* op. cit., pp. 115-116, tradução modificada.

Simondon faz uma pontuação similar, chamando o animal de "planta incipiente" e argumentando que não há "diferenças substanciais" que permitam distinções categóricas entre reinos, gêneros e espécies.[29] Desse ponto de vista, o *"continuum* animal" também poderia ser chamado de *"continuum* vegetal"*, dependendo de qual meio se escolhe para começar, e por quais razões estratégicas conceitualmente construtivas — conduzindo a que definições e distinções, a que efeitos. A escolha não é nada arbitrária. É totalmente pragmática. A escolha do meio terá consequências sobre como se desenrolam todos os conceitos filosóficos envolvidos. Antecipá-los abdutivamente, modulá-los de antemão, constitui o elemento especulativo. A coerência do *continuum* conceitual precisa ser integralmente reinventada a cada recomeço, de modo que a própria filosofia está em contínua variação emergente.

E isso nos leva a outro alerta: cuidado com filosofias que se promovem, em termos apocalípticos ou messiânicos excessivamente sérios, como a essência e finalidade da filosofia. Essas filosofias necessitam de uma pequena dose da modéstia vegetal e de uma grande dose da ludicidade animal para obterem uma distância reflexiva enativa quanto à sua própria importância (ooo, está ouvindo?). O suplemento 3 volta à questão das distinções categóricas e dos pontos de corte.

14. O instinto percorre todo o *continuum* animal integrado, pressupondo reciprocamente linhas de variação sempre-diversificantes. Essas linhas de variação estendem-se por todo

---

29 Combes, *Gilbert Simondon and the Philosophy of the Transindividual* op. cit., pp. 22-23. A ideia de Simondon é de que uma planta completa sua individuação biologicamente, ao passo que uma vida animal continua a se individuar psiquicamente, preservando certa neotenia. Isso distingue vegetal e animal como graus de devir no *continuum* da natureza.

o caminho até a mais humana das realizações, inclusive de natureza linguística. O movimento autocondutor do instinto, sob a propulsão da tendência supernormal, é o que inclui operacionalmente o humano no animal. Pensar o humano é pensar o animal, e pensar o animal é pensar o instinto. Acaso seria possível conceber um animal sem instinto? Por que, então, o disseminado embaraço sobre o termo? Por que ele sempre precisa ser minorado, como um segredo bestialmente vitoriano que seria melhor deixar escondido? *A política animal não tem medo do instinto.*

SUPLEMENTO 1

Escrever como um rato torce o rabo

Na obra de Deleuze e Guattari há pelo menos duas maneiras pelas quais o devir-animal do humano se distingue da brincadeira animal não humana — que, ainda assim, pode ser vista como provedora de suas condições de emergência, bem como propulsora de uma linha tendencial na qual acrescentar uma variação lúdica.

Primeiramente, o devir-animal do humano é iniciado pela necessidade. O caso exemplar, para Deleuze e Guattari, é Kafka. É diante do horror do lar e da família humanos que Kafka se refugia nos territórios existenciais animais. A condensação do afeto nas figuras demasiado humanas da família edípica é sentida como inabitavelmente limitante. A escrita, impulsionada a serviço do supernormal como uma caixa de ferramentas para o devir-animal, é utilizada para compor uma linha de fuga da clausura familiar. O recurso à animalidade é uma estratégia de sobrevivência. A necessidade do recurso não contradiz sua criatividade. O fato de o devir-animal ser iniciado sob pressão não o desqualifica como uma operação fundamentalmente lúdica. No devir-animal do humano, criatividade e sobrevivência são uma só coisa. Se a situação não fosse imperativa, não haveria razão para não permanecer resguardado nos confortos familiares do lar.

O problema é que esses confortos têm um preço: normalidade; aquiescência ao já-expresso; o sufocamento da tendência supernormal que agita imanentemente e desperta instintivamente todos os animais, humanos ou não, na direção de superar, nesse jogo de cartas, a mão distribuída pelo que está dado. Só há uma escolha a fazer: renunciar aos instintos animais ou deixar o conforto do lar. Só há uma saída: desterritorializar-se, deixar a arena humana e recuperar o território existencial animal. A necessidade da operação só faz com que isso seja ainda mais intenso. Ela apenas entrelaça a corporalidade, a colocação em prática dos imperativos da situação dada, de modo ainda mais próximo de uma urgência criativa prospectiva. Ela apenas atrela, ainda mais fortemente, a corporalidade à apetição. O devir-animal do humano intensifica a mútua inclusão da corporalidade e da tendência supernormal, enquanto reafirma a primazia da última. Num ponto crítico da vida, ele despeja a dependência pática ao lar como algo dado, assim como o *pathos* familiar da clausura doméstica, num movimento intenso de autossuperação.

Para fazer jus à intensidade desse gesto do devir-animal, é necessário focar, mais uma vez, na diferença entre o afeto de vitalidade — em sua relação com a brincadeira, em que se une ao entusiasmo do corpo expressando o dinamismo criativo da vida — e o afeto categórico. Todo gesto lúdico invoca o saliente afeto categórico normalmente atrelado à situação análoga. Para os filhotes de lobo brincando de luta, é o medo. Para Gregor, na *Metamorfose* de Kafka, é o horror. O horror é o medo entrelaçado ao *pathos*. A necessidade da operação vem do contexto horrível do desejo animal sendo forçado ao limitativo enquadramento do triângulo edípico. O gesto lúdico do devir-animal não tem escolha, a não ser dramatizar o horror, que transpassa cada brecha da situação do lar. O horror é a chave afetiva pela qual os imperativos situacionais demandam aquiescência. A saída é deixar-se arrebatar de modo ainda mais horrorosamente intenso pelo entusiasmo do corpo do afeto de vitalidade.

Como na brincadeira não humana, as ações às quais o narrador se entrega "não denotam o que iriam denotar aquelas ações que elas representam". Como com cada operação lúdica, o devir-animal dramatiza a situação afetiva ao desempenhar gestos que constituem mordidas sem morder. Paradoxalmente, não é o horror edípico do incesto que Kafka dramatiza, ainda que esse horror só possa ser evocado. O que é dramatizado é o *desenquadramento* do incesto e seu horror. O devir-animal do narrador suspende o desejo edípico, a sequência de ações a ele mais associada, bem como as conhecidas consequências tanto de neles se engajar ou de reprimi-los. O devir-animal de Gregor desarma a família edípica ao lhe conceder expressão pura e desterritorializante. "Aparece ao mesmo tempo a possibilidade de uma saída para escapar [...], uma linha de fuga".[1] O devir-barata de Gregor traça uma linha de fuga expressiva para fora da clausura da família incestuosa. Desenha uma cartografia enativa, intensamente excessiva em seu movimento, que rompe com o habitat natural do indivíduo edípico para recobrar a vasta natureza da transindividualidade: "tudo é político [...] tudo toma um valor coletivo".[2] É em nome do "povo por vir" que alguém devém-animal.[3]

A outra diferença em relação à brincadeira animal é que aqui a desterritorialização é "absoluta".[4] Isto é, o desenquadramento abre uma saída de emergência que leva para fora de *todas* as arenas de atividade conhecidas que estão dadas na natureza. O devir-animal é o nunca antes visto, o jamais feito ou previamente sentido. Um cachorro amarrando os

---

1 Deleuze e Guattari, *Kafka: por uma literatura menor* op. cit, p. 26.

2 Ibid., pp. 36-37.

3 Ibid, p. 38.

4 Ibid., pp. 52, 70-71.

sapatos. Um rato estrela de ópera. Um macaco sabido que aprendeu demais.[5] Nunca feito, nunca visto, nem no passado nem provavelmente no futuro. É um caso transindividual do povo, mas "o povo falta" por natureza.[6]

> O devir não produz outra coisa senão ele próprio. É uma falsa alternativa que nos faz dizer: ou imitamos, ou somos. O que é real é o próprio devir, o bloco de devir, e não os termos supostamente fixos pelos quais passaria aquele que se torna. O devir pode e deve ser qualificado como devir-animal sem ter um termo que seria o animal que se tornou.[7]

O devir passa *entre* o humano e o animal, na margem de manobra produzida pela colocação de suas identidades genéricas em suspenso de modo a incluí-las mutuamente num estado de elevada intensidade — animação suspensa. "O devir-animal é uma viagem imóvel e no mesmo lugar, que só pode se viver e compreender em intensidade (transpor limiares de intensidade)".[8] As idiossincrasias estilísticas e os detalhes extras bizarramente subestimados da escrita de Kafka contribuem para um movimento *in loco* que ultrapassa discretamente a si mesmo, transbordando num devir expressivo, atravessando os limiares da família em direção a outras regiões de intensidade. Decerto, o horror não é o único afeto categórico que pode providenciar o trampolim para esse tipo de movimento

5 Sobre o devir-cachorro, tal como relatado por Vladimir Slepian, cf. Deleuze; Guattari (1987, pp. 258-259). Sobre a Josephine de Kafka, a rata cantora, cf. Deleuze e Guattari (1986, pp. 10-12), e sobre o macaco de "Um relatório para uma Academia", de Kafka, cf. Ibid., pp. 25-26).

6 Deleuze, *Cinema 2 – A imagem-tempo* op. cit., p. 261.

7 Deleuze e Guattari, *Mil platôs*, v. 4 op. cit., p. 18.

8 Deleuze e Guattari, *Kafka: por uma literatura menor* op. cit, p. 69.

excessivo. Dependendo do contexto, poderia ser qualquer afeto e a maneira particular com que ele torna impossível de ser vivida a vida da apetição. E o "excesso" estilístico, no caso de Kafka, pode ser uma sobriedade excessiva, transbordando num superávit de simplicidade intensamente sentido. Essa excessividade minimalista talvez seja o mais propício ao devir, porque o gesto autonomizante da pura expressão deixa o enquadramento dado da cena, retira-se dos imperativos do contexto, suspende os termos estruturados no local e vai para outra parte, escapa e mergulha de cabeça numa desterritorialização absoluta sem saber de antemão aonde ela pode levar — é tudo uma questão de subtração estratégica.[9]

A escrita, de acordo com Deleuze e Guattari, possui a capacidade expressiva de desencadear uma "partícula de devir": uma dramatização integral e indecomponível do movimento em direção ao supernormal.[10] O gesto desterritorializante do devir-animal do humano se efetua em blocos, exatamente como o bico do filhote de gaivota-prateada. Os afetos envolvidos na dramatização, tanto de vitalidade quanto categóricos, dizem respeito a sequências de ações potenciais que são enativamente envolvidas na consciência primária dos domínios do pensar-fazer na brincadeira. Convém recordar a definição básica de afeto que Deleuze e Guattari adotam a partir de Spinoza: os "poderes de afetar e ser afetado".[11] As ações potenciais invocadas pela dramatização agrupam conjuntos de capacidades de afetar e de se afetado. Esses agrupamentos

---

9 Deleuze e Guattari, *Mil platôs*, v. 1 op. cit., pp. 14-15; *Mil platôs*, v. 4 op. cit., pp. 72-74.

10 Sobre "partículas de devir", cf. Deleuze e Guattari, *Mil platôs*, v. 4 op. cit., pp. 63-64, 67-69.

11 Deleuze, *Espinosa – filosofia prática*, trad. bras. de Daniel Lins e Fabien Pascal Lins. São Paulo: Escuta, 2002, p. 128.

desenvolvem-se como tendências. As tendências interpenetram-se numa imanência recíproca. Assim como os blocos de sensação "alucinados" pela gaivota-prateada, esses agrupamentos tendenciais afetivos são compostos de "relações internas". As tendências se ativam conjuntamente em intensidade, mas clamam, em ressonância e interferência, em competição e simbiose, pelo desdobramento extensivo, e não de uma maneira normal.

O que o gesto da desterritorialização *absoluta* faz é suspender o desdobramento extensivo. Ele não encena as ações potenciais. Ele as mantém juntas, puramente em sua relação uma com a outra, no envolvimento mais cerrado e íntimo, numa zona escrita de indiscernibilidade. Ele as *in*-atua. Dá pura expressão às suas imanências recíprocas. Nessa zona de indiscernibilidade, as relações internas invocadas como ações potenciais tendenciais que vão de encontro ao contexto familiar fazem-se sentir em toda a sua integralidade covariante, sem que suas diferenças sejam borradas, mas, paradoxalmente, na ausência real de um contexto alternado correspondente ao território existencial com o qual se brinca. Um devir-pássaro humano, por exemplo, não invade o ninho como um cuco. As ações potenciais são puramente encenadas, desenquadradas e, portanto, sem limites atribuíveis. São puramente expressas, coimanentes ao gesto expressivo da escrita. São dramatizadas por esse gesto no papel de puras e futuras possibilidades, desenquadradas — seu único limite sendo o próprio horizonte de animalidade. Como qualquer horizonte, o horizonte do animal recua quando dele se aproxima: é um limite absoluto; um limite real, virtual. Também como todos os horizontes, envolve liminarmente o campo de possibilidade do movimento em sua integralidade. Na suspensão do contexto animal de fato, a aproximação do limite animal estende a integralidade das relações internas das tendências in-atuadas ao horizonte absoluto e integral do animal.

Num devir-animal escrito, diferentemente de uma brincadeira animal não humana como a dos filhotes de lobo, aquilo com o que se brinca não é uma função particular do animal, como a predação. O "enredo" da história é um invólucro para o animal integral se expressar com toda a sua intensidade imanente. As ações que são expressamente dramatizadas transduzem, sim, algo da forma dominante do animal análoga ao devir: seu algo-extra. O princípio composicional está mais no nível do estilo de movimento do animal, uma vez que in-forma todos os seus comportamentos. O que é expresso é a assinatura do afeto de vitalidade do animal, a -esquidade de suas ações arqueando-se sobre todos os seus movimentos, a maneira com que o animal desempenha continuamente algo extra às funções de seus comportamentos. Esse excesso performativo em relação à função genérica é aquilo que define a singularidade do animal. É a maneira como o animal supera a si próprio, excedendo o ser de sua espécie de um modo que o situa num *continuum* supernormal com outras espécies, em seu próprio modo singular. Há uma baratidade da barata, uma ratidade do rato, e são esses estilos de assinatura de formas--de-vida que se inserem no ato de escrever. O estilo da escrita compõe-se em torno dessa -esquidade do animal análogo, absorvendo seu excesso específico na linguagem criativa. A escrita de Gregor é a invenção do extrabarata, uma mais-valia de baratidade escrituralmente produzida. Um puro extrasser de baratidade.[12] A captação especificamente escrita desse extrasser estende criativamente o *continuum* da animalidade

---

12 Deleuze, *Lógica do sentido*, trad. bras. de Luiz Roberto Salinas. São Paulo: Perspectiva, 2007.

integral sob enação para incluir o humano — o único animal cujos agrupamentos de capacidades afetivas incluem a escrita literária. É o *continuum* animal que é integralmente colocado no jogo escrito, no registro da barata. Gregor é o *animal integral* escrito em barata.

A -esquidade já era um elemento de pura expressão em gesto animal não humano. A escrita estende a -esquidade à animalidade integral, levando a pura expressão ao limite. Quando a escrita concede pura expressão à animalidade integral, ela não denota "o" animal. Gregor não é "a" barata. Não se trata de denotar nada, em geral. Trata-se de produzir algo singular. Não "o": *um. Uma* barata, *um* cachorro, *um* macaco, *um* rato, cada um deles evocando, na individualidade expressiva, o poder do *continuum* animal — animais singularmente exemplares envolvendo-se em seus movimentos e na movência dos seus movimentos rumo ao limite afetivo da animalidade, uma multiplicidade indefinida de modos diferenciais de existência potencial.[13]

A baleia branca de *Moby Dick* é outro animal exemplar no *ménagerie* deleuzo-guattariano da pura expressão. Moby Dick não é a baleia comum. Ele não representa sua espécie. Não denota o que é ser uma baleia ou quais são os comportamentos normais e adaptativos das baleias. Ao contrário, ele expressa a tendência supernormal que preenche a baleidade de dentro para fora e a posiciona no *continuum* animal integral. Ele não é o animal normal, é o *Anomal*, o animal anômalo: a expressão tendencial de uma força de supernormalidade deformadora capaz de envolver em sua maneira singular, afetiva e qualitativamente, a integralidade liminar

13 Sobre o artigo indefinido e o devir-animal, cf. Deleuze e Guattari, *Mil platôs*, v. 4, op. cit., pp. 36, 45-46.

de uma população indefinida (que falta).[14] Moby Dick é o horizonte retrocedente do ser-baleia. Ele é o devir de baleidade transindividuante e extraespécie em pessoa. Mas ele não é uma pessoa. Ele é um invólucro do potencial de devir--animal. É um invólucro do devir potencial animal, envolvendo o *continuum* da animalidade integral no registro afetivo da baleidade — como só uma baleia escrita pode fazer.

O Anomal é marcado por uma qualidade especial que serve como índice de sua supernormalidade: uma -esquidade exemplar que resume todo o agrupamento do -esco potencial que o animal exemplar envolve em seus movimentos. Em *Moby Dick*, é a branquitude da baleia: a branquitude extranatural que atiça uma paixão igualmente não natural na contraparte humana escrita da baleia que combina com sua própria intensidade, em contraponto. Ahab é induzido a uma brincadeira intensiva de devir pela branquitude da baleia — e, com ele, o leitor, por contágio transindividual. Quais imperativos de escape condicionaram essa linha de fuga? Quando o devir cascateia — do escritor à figura escrita ao leitor da escrita —, os imperativos e a paixão de desterritorializar permanecem os mesmos ou também sofrem variação contínua? Certamente, a segunda opção. O devir cruza com as séries. Isso impossibilita entender os devires na escrita através da teoria da recepção. Nada em particular é transmitido. Algo singular é recatalisado. Não é uma comunicação, é uma série de acontecimentos.

Deleuze e Guattari também falam de uma -esquidade escrita exemplar em relação aos ratos. Eles invocam o jeito bizarramente comovente que um ninho de ratos agoniza numa história de Hofmannstahl, dizendo que aquilo que seus

---

14 Sobre o animal anômalo (o *anomal*), cf. Ibid., pp. 25-29.

gestos induzem não é pena, mas uma "participação antinatural". Por "antinatural" não querem dizer "fora do *continuum* da natureza". Querem, sim, dizer: em devir rumo a uma "natureza desconhecida".[15] Uma vez mais, a escrita concede pura expressão supernormal ao animal integral, dessa vez no registro do rato. A escrita denota aquilo que essa supernormalidade iria denotar integralmente. A animalidade do roedor devém-humana (suspende-se em gesto escrito) ao mesmo tempo em que o humano devém-animal (renova passionalmente seus laços constitutivos com o núcleo instintivo de sua própria supernormalidade).

É assim que funciona todo devir-animal, até mesmo os não escritos, como é o caso que Deleuze e Guattari citam, no qual o ato efetivo de roer metal como se fosse um brinquedo de mastigar era o gesto supernormal catalisando um devir-cachorro, em contraste com o exemplo da amarração escrita de sapatos de cachorro com patas humanas.[16] É o mesmo princípio básico quando um humano engaja um devir-animal num gesto não verbal: um ato expressivo que dispara afetivamente um devir entre, sem um tornar-se que seja terminante. A diferença é quão longe no horizonte da animalidade o ato pode tender; quão intensa a expressão pode ficar; quão integralmente longe vai o seu movimento de superação do que está dado. O ato escrito vai o mais longe, o mais intensamente. Na atuação gestual, como na in-atuação verbal, tanto o humano quanto o animal são extraídos de seus contextos normais, abstraídos de seus enquadramentos costumeiros. Seus gestos são subtraídos das funções já conhecidas e desenvolvidas adaptativamente. Desenquadramento recíproco. Dupla

15 Ibid., p. 21.
16 Ibid., p. 61.

desterritorialização. Dupla abstração. É isso que todos os gestos lúdicos de devir têm em comum. O que é especial quanto ao gesto escrito é que ele dá um livre acesso ao movimento instintivo da supernormalidade percorrendo toda a extensão do *continuum* animal imanente à vida tanto dos humanos quanto dos não humanos.

A expressão dramatizada da animalidade integral é vivida ainda mais intensamente na escrita porque escapa a toda possibilidade de reterritorialização. O homem-cachorro comedor de metal incrivelmente dotado de mandíbula é reterritorializado como um espetáculo secundário: capturado pela arena já-dada de atividade circense. Mas você jamais consegue pegar uma baleia mais branca do que a página em que ela está escrita. A expressão da animalidade é mais superlativamente natural, quanto mais integralmente sejam colocados em suspenso as funções e os contextos naturais. Em suspenso, eles são sentidos com um entusiasmo do corpo tão longo que se estendem por todo o *continuum* animal, e tão ubiquamente envolventes que espreitam em cada entremeio; tão perambulantes que habitam todas as lacunas entre o que é e o que poderia ser (mas, fora da expressão, nunca será).

Na medida em que esse movimento de expressão animal frustra qualquer reterritorialização adaptativa como sua destinação, ele ocorre no contrapelo da animalidade, cuja direção natural inclui muito frequentemente a recaptura corporal como parte do ciclo vital natural de variação da vida. A renovação de laços do humano com seu núcleo animal instintivo é uma "participação antinatural [*participation contre nature*]".[17] É uma contraparticipação da mais intensa natureza, levada ao mais alto grau de abstração vivida, suspensa no artifício

17 Ibid., pp. 21, 23, 46, 65.

da escrita. Nesse modo de abstração vivida, o humano não é cônscio "do" animal. A escrita não é discursar "sobre" o animal. O humano está *fazendo* o animal no gesto de pensar-escrever: in-atuando uma pura expressão animal, num mútuo envolvimento entre um e outro, e o nem-um-nem-outro de sua zona de indiscernibilidade em devir.

> Escreve-se sempre para os animais [...] "participação antinatural", simbiose, involução. Só se dirige ao animal no homem. O que não quer dizer escrever sobre seu cachorro, seu gato [...] Não quer dizer fazer os animais falarem. Quer dizer escrever como um rato traça uma linha, ou como ele torce o rabo, como um pássaro lança um som, como um felino se move ou dorme pesadamente.[18]

"Como" um rato torce o rabo. "Como" um pássaro canta. "Como" um gato dorme. "Como", aqui, não denota o que iria "denotar" metaforicamente.[19] Não denota, na mais pura expressão não metafórica. O devir, segundo Deleuze e Guattari, requer a abolição da metáfora.[20] Longe de ser uma metáfora, o devir-animal é uma participação real contra a natureza, seguindo a própria tendência supernormal da natureza, sobrecarregada num movimento rumo ao limite absoluto. O gesto do devir escrito é tão real quanto o paradoxo gesticulado não verbalmente que catapulta o animal para a arena da brincadeira na natureza, numa transformação-*in-loco* que não afeta um sem afetar os dois. Mas mais do que

---

18 Deleuze e Parnet, *Diálogos*, trad. bras. de Eloisa Araújo Ribeiro. São Paulo: Escuta, 1998., p. 89, tradução modificada.

19 *Mil platôs*, v. 4, op. cit., p. 162.

20 Ibid., pp. 65-66, 162.

atuá-lo, ele in-atua o contágio dessa transformação-*in-loco* sem o animal real em jogo. Ele subtrai o animal real em jogo na natureza a fim de colocar em jogo a própria natureza do animal. Ainda mais potencialmente. Essa contraparticipação maximamente abstrata no potencial da natureza, só alcançada com o extremo do artifício, é a expressão mais intensa do valor da natureza. Como valor, ela representa uma coisa: a simpatia animal universal.[21]

> Aqui chamamos de "intuição" a simpatia pela qual alguém é transportado para dentro de um objeto de maneira a coincidir com o que nele há de único e, consequentemente, inexpressível.[22]

O devir-animal escrito é o acontecimento integral da animalidade instintiva, in-atuada numa passagem para o limite absoluto do que está dado. É a abstração vivida da vida animal, singularmente ilimitada. Uma pura e necessária expressão do que há de inexpressível no devir.

Seria uma saída uma expressão resultar tão pura a ponto de estar efetivamente em suspenso? Nunca diretamente. Nunca de uma maneira que possa ser diretamente aplicada para

---

21 "Um único e mesmo animal abstrato, uma única e mesma máquina abstrata" (Deleuze e Guattari, *Mil platôs*, v. 1, op. cit., p. 60, cf. também p. 13; e *Mil platôs*, v. 4, op. cit., p. 40). Nessa passagem, Deleuze e Guattari referem-se à "unidade de composição" do estrato orgânico. No presente ensaio, o "único e mesmo animal abstrato" está integralmente estendido ao longo do *continuum* da natureza, tanto orgânica quanto inorgânica, sob os auspícios da tendência supernormal, trazendo-a mais para a órbita daquilo que Deleuze e Guattari posteriormente, em *Mil platôs*, chamam de "pura animalidade" (Deleuze e Guattari, *Mil platôs*, v. 5, trad. bras. de Peter Pál Pelbart e Janice Caiafa. São Paulo: Editora 34, 1997, p. 212). Cf. também a nota 6, p.85, bem como o suplemento 3, ponto 4, abaixo.

22 Bergson, *O pensamento e o movente* op. cit., p. 135.

resolver problemas colocados por uma necessidade não vivível. Mas talvez, apenas possivelmente, a pura expressão terá inventado uma forma dominante do mais intenso escape que possa advir espontaneamente, de nenhum lugar exprimível, para in-formar uma terrível situação que intuitivamente brota da imanência do animal no ponto crítico, ressonando interiormente em direção a uma atuação recém-emergente. Então a tarefa muda: escolher uma arma no movimento de escape para lutar contra a recaptura.[23] Ou, mais relacional e pragmaticamente, encontrar uma ferramenta.[24] Não uma ferramenta que funcione. Uma ferramenta que invente. Uma ferramenta para construir as condições que permitem que o movimento de escape continue a evitar as capturas pela constituição de uma prática de sua própria abdução, devindo autoabduzente, autoinduzindo serialmente seu próprio puxar-para-diante, gesticular pelo gesto de pensar-fazer, perseguindo a si mesmo como uma tendência intuitivamente autocondutora, abrindo um caminho, com medidas iguais de proeza improvisacional e técnica, em direção a territórios existenciais ainda-não-conhecidos, nunca antes vistos, conservando o potencial animal supernormal que aloja o proclamado povo por vir numa natureza aberta, autossuperadora dentro de um horizonte de possibilidade sempre em expansão. A autonomia de expressão especulativo-pragmática, elevada à mais alta e politizada potência transindividual, não mais apenas devir-animal, mas revolucionária: mais-valia de vida, vivida o mais amplamente em sua intensidade integral.[25]

23 Deleuze e Guattari, *Mil platôs*, v. 3 op. cit., pp. 78-79.

24 Ibid., p. 37.

25 Um apontamento sobre desviar de/com Deleuze e Guattari. Em *Kafka: por uma literatura menor*, pp. 70-71, Deleuze e Guattari ressaltam que os devires--animais de Kafka "mostram uma saída que são incapazes de seguir" devido ao

poder reterritorializante da família edípica. Eles escrevem a respeito de "alguma coisa diferente agindo subterraneamente" nos devires-animais de Kafka que leva a desterritorialização absoluta ainda mais longe, rumo a saídas mais efetivas. São os "devires-moleculares" e os "devires-imperceptíveis" que pertencem à "vida anorgânica" (*Mil platôs*, v. 4, op. cit., pp. 32, 72-74). O anorgânico não deve ser confundido com o inorgânico (embora o uso de Deleuze e Guattari vacile entre utilizar "anorgânico" e "inorgânico" em sentido estendido). A vida anorgânica é a vida ilimitada à "organização dos órgãos" da forma animal funcional/adaptativa. Ela percorre todo o *continuum* do que normalmente é classificado como inorgânico e orgânico, sem respeitar esse binarismo. A estratégia da presente explanação tem sido a de abordar esse *continuum* "anorgânico" da natureza enfatizando a imanência ao animal da "coisa diferente que age subterraneamente" referida por Deleuze e Guattari. Aqui, essa coisa outra é construída em termos de tendência supernormal de exceder a função e a adaptação, entendida como movimento criativo da natureza. O problema a partir do qual deriva o presente projeto — o de constituir um conceito de política animal a partir do movimento criativo da criatividade — implica escolhas terminológicas diferentes das de Deleuze e Guattari (como chamar de *continuum* apenas o da "vida" e tornar a tendência supernormal o movimento de "animalidade" ao longo de todo o *continuum*) e prescinde do gesto de estabelecimento de uma ordem de prioridade dos devires. No suplemento 3, abaixo, a tendência supernormal será vista como o irrefreável na vida orgânica. Isso abre alas para nos reconectarmos aos conceitos de "anorgânico" e "devir-imperceptível" de Deleuze e Guattari, bem como entre este projeto e construções conceituais — derivando de problemas distintos — para os quais esses conceitos são emprestados. Em *Mil platôs*, diferentemente de *Kafka*, Deleuze e Guattari não apresentam os devires-animais como impasses. Eles são apresentados mais positivamente, com muito mais poder de desterritorialização, mas ainda considerados portas de entrada para devires-imperceptíveis ainda mais poderosos (Deleuze e Guattari, *Mil platôs*, v. 4 op. cit., pp. 72-73; e todo capítulo "Devir-intenso, Devir-animal, Devir-imperceptível", pp. 11-115, que vai da animalidade ao devir-imperceptível). O vocabulário próprio de Deleuze e Guattari já se intersecciona com o deste projeto nos pontos-chave em que a animalidade é estendida por todo o *continuum*: "a pura animalidade é vivida como inorgânica, ou supraorgânica" (Deleuze e Guattari, *Mil platôs*, v. 5 op. cit., p. 212).

SUPLEMENTO 2

A zoo-logia da brincadeira

Gregory Bateson relata que suas reflexões sobre a brincadeira foram inspiradas por uma visita ao zoológico de São Francisco. Dois macacos brincando um com o outro lhe chamaram a atenção. Ficou "evidente, mesmo para um observador humano", que suas ações lúdicas eram "similares, mas não as mesmas do combate".[1] As análises de Bateson resultam dessa observação da brincadeira, incluindo uma observação da inclusão do observador humano na cena. Entretanto, no restante de seu texto, Bateson nunca retorna à questão da inclusão do observador humano e da "evidência" daquilo que ele vê. É como se — contra tudo o que ele diz a respeito da brincadeira, da reflexividade e da linguagem — ele retornasse, nesse ponto, à suposição não reflexiva de que o animal e sua relação evolutiva com o humano possam ser simplesmente denotados; de que a presença do observador humano seja distraidamente apagada. O que a animalidade denotaria se uma das coisas que ela não denotou fosse esse esquecimento? Onde fica a brincadeira na própria análise, baseada na observação, feita por Bateson? A política animal da brincadeira precisa se confrontar com essas questões que giram em torno da espectatorialidade.[2]

---

1 Bateson, "A Theory of Play and Fantasy" op. cit., p. 179.

2 Não é uma opção para a presente explanação proceder como se fosse possível falar diretamente de objetos, na ausência do humano, esquecendo convenientemente que é um animal humano que está falando. O esforço em fazê-lo, que é o gesto fundador do realismo especulativo, é feito numa tentativa de escapar do "correlacionismo". Entretanto, colocar o ato do pensamento entre parênteses torna

ainda mais difícil a tarefa de construir uma explanação efetivamente não correlacionista da mútua inclusão diferencial do humano na natureza não humana (o que será discutido no suplemento 3, ponto 3, como o "mais-que-humano"). Meillassoux (*After Finitude*, op. cit.) simplesmente coloca de lado a tarefa com a noção de que o pensamento tem acesso especulativo direto ao real, um feito que só pode ser atingido reafirmando a primazia e a autossuficiência do raciocínio lógico-matemático, num retorno a uma ideia altamente tradicional da filosofia, atribuindo a ela uma vocação universalista. Quem ou o que pensa, e quais as implicações no mundo, tal como ele se dá, da participação do ato de pensar nunca são questões levantadas (i.e., o fato de que um pensar é sempre um pensar com uma corporificação). Harman (*Guerilla Metaphysics* op. cit.) segue uma estratégia diferente. Diz-se do real que ele é composto de objetos em si, apartados da relação. A fim de explicar a relação, outro conceito filosófico hipertradicional tem de ser ressuscitado do cemitério da história do pensamento ao qual Whitehead, entre outros, há muito tempo o relegou: a distinção entre qualidades primárias e secundárias, ou o objeto em si e o objeto sensual — para a crítica de Whitehead acerca da "bifurcação da natureza", cf. Whitehead, *O conceito de natureza*, trad. bras. de Julio B. Fischer. São Paulo: Martins Fontes, 1994, pp. 33-59. Essa velha distinção é revivida com uma torção. Historicamente, as qualidades primárias eram propriedades dos objetos e as qualidades secundárias pertenciam ao sujeito que as percebe. Harman, conservando sua abordagem orientada ao objeto, migra as qualidades secundárias para o lado do objeto. Tudo no pensamento correlacionista que era atribuído ao sujeito agora é arrogado ao objeto. Em outras palavras, uma filosofia do objeto sem o sujeito é alcançada simplesmente ao decretar tudo o que era considerado subjetivo no pensamento correlacionista como sendo objetivo. Isso possibilita que o objeto-em-si apartado se mantenha em sua unidade absoluta, à custa de entrar num "duelo" (Harman, *Guerilla Metaphysics* op. cit., pp. 148-149) com suas próprias qualidades múltiplas, que aparecem na relação. O que, então, mantém juntos os aspectos em duelo ("substância *versus* relação", p. 183)? Há, como aprendemos, uma "cola" mágica (pp. 153-154) que mantém unido todo o universo: seu nome é "metáfora". A metáfora magicamente "converte as qualidades de objetos em objetos por direito próprio" ("elementos") (p. 162). Porém, se as qualidades secundárias são agora objetos elementares, elas também não se apartam? Entramos então numa complicada casuística que apela a um "éter" misterioso, um tipo de emanação das "notas" do objeto, nas quais "nós", preceptores humanos, nos "banhamos". Nesse banho, entramos vicariamente na órbita do "buraco negro" do objeto — que, em si, permanece "escondido da vista" (p. 20), enquanto "vaza" qualidades e relação. Acaso essa cola metafórica não seria uma hipóstase daquilo que anteriormente era chamado de subjetivo, tendo se reorientado ao objeto, tal como um casaco vestido do avesso como um novo estilo ousado? Acaso "nós", preceptores desse vazamento, não estaríamos gerando qualidades secundárias enquanto nos "banhamos" nas emanações do éter, como fizemos o tempo todo, segundo o

Se no *continuum* animal é sempre uma questão de mútua inclusão, é necessário articular o modo de inclusão do humano no animal e do animal no humano. No caso do zoológico, assim como em outros contextos em que os humanos trabalham para se manter a certa distância, no papel do observador não implicado — seja no campo, no laboratório ou na frente de uma tela —, é visivelmente uma questão de uma operação rigidamente excludente. A mútua inclusão pareceria ser o último conceito ao qual você recorreria para entender o que está em jogo nessas circunstâncias. Mas são precisamente essas circunstâncias que predominam nos encontros animal-humanos de nossa era, tardiamente batizada de "Antropoceno".

---

correlacionismo? Todas as questões do pensamento correlacionista não foram simplesmente desviadas para o lado do objeto? Faz-se necessário ainda mais casuística para suturar os problemas criados pela própria explanação. Há falsos problemas implicados pelas pressuposições fundadoras dessa empreitada: a necessidade de uma ontologia baseada na substância e a ideia de que o objeto está essencialmente apartado — Whitehead (*O conceito de natureza* op. cit., pp. 169-170), ao contrário, define o objeto como aquilo que *retorna*. Na perspectiva aventada neste ensaio, a ooo é pouco mais que uma produção em massa de falsos problemas filosóficos vestindo velhos conceitos e enigmas em roupas novas e chamativas. A falsidade dos problemas é traída pelo uso conspícuo do "nós" quando chega a hora de explicar a percepção e a relação. Que "nós" é esse? O "nós" permanece genérico. O "nós" genérico é sempre um sinal garantido de um *sujeito implicado*: uma colocação entre parênteses do ato de pensamento tal como ele ocorre. "Nós" realmente devemos acreditar que voltar, por intricadas veredas, ao genérico sujeito humano implicado — corroborando agora a retórica de uma metafísica orientada ao objeto — seja um avanço filosófico? Devemos "nós", sujeitos implicados, hipotecar à metáfora nossa atividade de pensar-fazer? Eterizar nossos devires relacionais? Que política é essa? Há muitas rotas alternativas ao pensamento não correlacionista — elas são todas antes relacionalistas que substancialistas. Bergson, Whitehead, Deleuze, Ruyer e Simondon (sem mencionar Peirce): todos desenvolvem exaustivamente uma metafísica relacional não correlacionista capaz de explicar a presença do humano e respeitando, ao mesmo tempo, a anatomia ontogenética do não humano; reconhecendo plenamente a realidade do que jaz para além do humano. O problema não é como pensar o objeto sem o humano. É pensar a implicação do humano em uma realidade que, por natureza, o supera. O problema é o mais-que-humano — especialmente do próprio ato de pensar.

Exemplares devires-animais, sem objetivo funcional ou destino final, podem parecer irrelevantes no contexto dessa predominância de situações em que o animal é reduzido ao estatuto de um objeto a serviço de um observador humano propositalmente não envolvido, muitas vezes em detrimento da vitalidade do animal, quando não à sua pura e simples sobrevivência.

À primeira vista, a visita ao zoológico, que é a cena primitiva do desenvolvimento da teoria de Bateson, pareceria ser a antítese da brincadeira. Verdade, o conteúdo da observação é uma cena de brincadeira. Mas é este precisamente o problema: a cena é contida, no sentido literal de enclausuramento numa jaula. Como desenvolvido neste ensaio, a noção de "mútua inclusão" é a de um gesto enativo de dupla desterritorialização. No texto de Bateson, isso acontece em termos mais lógicos e, ao mesmo tempo, mais visuais. Bateson fala extensivamente sobre enquadramento, referindo-se, concretamente, à moldura de uma pintura e, mais abstratamente, ao gesto de manter uma separação bem organizada entre categorias de seres e entre os níveis lógicos e metalógicos envolvidos nessa tarefa.[3] Em ambos os casos — o visual e o lógico — é uma questão de *exclusão por inclusão*. A moldura do quadro inclui certo número de elementos visuais organizados como uma *gestalt* perceptual. A inclusão na moldura coloca em primeiro plano as figuras pintadas que ali aparecem, realçando-as contra o fundo formado por aquilo que a moldura exclui. Um enquadramento visual é também um enquadramento lógico. É "uma instrução para o espectador de que ele não deveria estender as premissas que obtém entre as figuras no quadro ao papel de parede atrás dele".[4]

3 Bateson, "A Theory of Play and Fantasy" op. cit., pp. 187-189.
4 Ibid., p. 189.

No zoológico, os animais colocados em primeiro plano são realçados do fundo de modo a serem exibidos como figuras essencialmente visuais. O enquadramento zoológico instrui o espectador quanto ao fato de que as premissas que sucedem para o animal não devem ser estendidas às vizinhanças humanas, nas quais o animal está exclusivamente incluído. As premissas que operam dentro da moldura são mostradas como sucedendo na "natureza". Por contraste, as premissas opostas da "cultura" aplicam-se às vizinhanças imediatas das quais a figura do animal é destacada: o território humano da instituição do zoológico. Esse enquadramento zoo-lógico repete o gesto que Giorgio Agamben identifica como o gesto fundador da *política humana*. O animal é reduzido ao status da *"zoé"* — mera vida biológica sob a regra categórica das leis da natureza — e, consequentemente, excluído da *pólis* (ou, mais precisamente, incluído apenas como excluído). Os espectadores humanos gozam do estatuto da *"bios"*: "a forma ou maneira de viver própria de um indivíduo ou de um grupo"; uma "vida qualificada", reconhecida como uma pessoa, e dotada do estatuto jurídico que acompanha esse reconhecimento (personalidade moral).[5]

A exclusão inclusiva do animal *zoé*-lógico é tudo, menos paradoxal. A moldura se mantém firme no lugar. Mesmo quando a jaula do animal no zoológico inclui elementos que evocam seu habitat natural — de modo que algo próprio do fundo natural da figura animal, que é estrangeiro aos entornos humanos, seja incluído na jaula —, isso só equivale a "uma moldura dentro de outra moldura" que nada faz para minar a separação entre categorias lógicas e sua aplicação do princípio do terceiro excluído. A lógica demasiado humana

---

5 Agamben, *Homo Sacer* op. cit., p. 9.

do um *ou* outro *"precisa"* do "duplo enquadramento" a fim de "delimitar o fundo contra o qual as figuras serão percebidas".[6] Se o fundo incluído não é tão bem delimitado quanto a própria figura, a separação entre as premissas que operam dentro da moldura e aquelas que operam fora dela pode ficar borrada (um "perigo" com o qual boa parte da arte moderna brinca conscientemente). É necessário duplicar o fundo para enquadrar efetivamente a figura.

Na verdade, é impreciso dizer que a exclusão inclusiva do animal *zoé*-lógico não é paradoxal. De certa maneira, ela se presta muito bem ao paradoxo. Mas não o tipo de paradoxo que figurou proeminentemente neste estudo. Não o paradoxo produtivo da colocação performativa em movimento de uma zona criativa de indiscernibilidade na qual as diferenças ocorrem conjuntamente sem coalescer, fundem-se enativamente sem se confundir, numa proximidade dinâmica que catapulta a vida a um movimento transindividual de superação do que está dado em direção ao novo. Ao contrário, é um paradoxo estéril que consiste meramente num borramento de categorias. O que é suspenso nesse caso não são as funções normativas, como na brincadeira, mas a própria diferença. Além disso, a suspensão não é enativa, mas meramente lógica.[7] A diferença fundamental que borra é a distinção "entre o que está dentro e o que está fora".[8] Em outras palavras, o estéril paradoxo em questão não concerne ao dinamismo da vida em sua processualidade; antes mesmo,

6 Bateson, "A Theory of Play and Fantasy" op. cit., p. 188, grifo do autor.

7 O conceito de Agamben de "suspensão" como aquilo que produz apenas indistinção irredutível tem de ser precisamente contrastado com a suspensão lúdica aqui teorizada, a qual suspende a fim de abranger diferenças e as reúne para a produção de ainda mais diferença.

8 Agamben, *Homo Sacer* op. cit., p. 26.

concerne à *estrutura*, cujo traço constitutivo é o desenho de uma fronteira entre o dentro e o fora demarcando o que a estrutura inclui em sua figura deslocada e aquilo que ela deixa na sombra de fundo do seu ambiente. A zona de "indistinção" ou indiferença que resulta de um borramento dessa demarcação é o mero oposto da estrutura.[9] É o fundo indiferenciado contra o qual se destaca a diferença figural da estrutura em relação ao seu ambiente.

Seguindo o princípio do duplo enquadramento, essa zona de indiferença, que é o mero oposto da estrutura, deve ser reconhecida como um elemento constitutivo da estruturação. É o disforme do qual se sobressai essa forma de enquadramento (o acoplamento correlativo da estrutura e seu ambiente). A diferença estrutural (no caso *zoé*-lógico, animal *versus* humano), figurada como o conteúdo do enquadramento, fica realçada em relação ao fundo duplicado da indiferença. Mas faz isso à custa de ter se comprometer com ele, como sua própria condição lógica de possibilidade. A zona de indiferença é a premissa negativa em oposição à qual a diferença estrutural se ergue. Enquanto logicamente condicionado, o duplo enquadramento é uma dupla oposição: humano *versus* animal e humano-*versus*-animal *versus* indiferenciação. Por outro lado, nos paradoxos animais produtivos, as diferenças em jogo não são redutíveis a oposições. Em vez de uma zona de indiferença, elas possuem a zona de indiscernibilidade *da* diferença (o terceiro incluído). Eles não apelam para condições de possibilidade apenas lógicas, mas inserem-se enativamente em condições reais de emergência.[10]

9 Ibid.

10 Sobre a distinção entre as reais condições de emergência (potencialização catalítica) e as condições lógicas de possibilidade (causa formal), cf. Deleuze,

Sua constituição não é de uma natureza predominantemente lógica, mediada pela oposição, mas naturalmente vital, em toda a sua imediatez.

Agamben demonstra de modo convincente que todo gesto político humano inclui logicamente essa base indiferente em suas exclusões estruturais, de um modo esterilmente paradoxal ou, de outro, em geral ocultado. Mas quando essa exclusão incluída confere a si mesma uma figura, é na forma paradoxal da exceção que funda sua regra, reconstituindo a regra no ato de suspendê-la. Essa é a própria definição agambeniana de soberania. O ato paradoxal de soberania ainda merece ser chamado de "estéril", muito embora seja constitutivo. Pois ele não inventa, refunda. Ele não supera o que está dado, dá novamente. Ele reproduz em essência a mesma estrutura. "A exceção que define a estrutura da soberania... cri[a] e defin[e] o próprio espaço no qual a ordem jurídico-política pode ter valor".[11] Trata-se de colocar de volta no lugar, em termos formais, as premissas da política humana: enquadrando-a de modo redobrado para outra rodada.

O zoológico é um exercício da soberania humana sobreposta ao animal. A zoo-logia participa da estruturação da *pólis*, que enxota o animal para o lado da vida não qualificada; em outras palavras, vida que é "matável", por natureza — em oposição a ser "sacrificável", por cultura.[12]

Bateson utiliza sua teoria da brincadeira para construir a definição do *patológico*.[13] Ele vê a patologia como estando

---

Bergsonimo op. cit., p. 78; e o item "Diferença conceitual: a maior e a melhor", em *Diferença e repetição*, trad. bras. de Luiz B. L. Orlandi e Roberto Machado. Rio de Janeiro: Graal, 2006.

11 Agamben, *Homo Sacer* op. cit., p. 26.

12 Ibid., p. 17.

13 Bateson, "A Theory of Play and Fantasy" op. cit., pp. 190-193.

intimamente relacionada com os problemas impostos pela operação de enquadramento. Em última análise, afirma ele, a operação de enquadramento não é tanto visual (a analogia com a pintura), tampouco formalmente lógica (concernindo às regras de formação e classificação de categorias). É "psicológica".[14] Isto é, no vocabulário do presente ensaio, é apetitiva: concerne ao movimento "mental" da abstração vivida, na medida em que tende a superar o que está dado na direção da criatividade, e pertence às subjetividades-sem--sujeito. A necessidade de duplicar o enquadramento, como um mecanismo de segurança para manter a separação entre categorias, "relaciona-se à preferência por evitar os paradoxos da abstração": os paradoxos, diríamos aqui, da abstração vivida.[15] Proteger a fronteira estrutural contra a mútua inclusão criativa é um modo de evitar a todo custo a superação do que está dado, ao qual a abstração vivida, animada pela tendência supernormal, nos impele. Porém, o oposto estrutural dessa proteção da fronteira estrutural é apenas outro modo de expressar a mesma "preferência" — entenda-se: "desejo" — por evitar o movimento criativo da vida, desta vez suspendendo-a numa zona de indiferença, em vez de extirpá-la como terceiro excluído.

O estado de exceção soberano é a dialética constitutivamente estéril entre essas duas estratégias opostas de evitar a afirmação da abstração vivida. Bateson ressalta que, na ausência de paradoxos de abstração (vivida), a evolução da comunicação, que ele afirma ser inseparável da evolução da vida, "estaria num beco sem saída".[16] A estrutura soberana

14 Ibid., p. 186.
15 Ibid., p. 189.
16 Ibid., p. 193.

da política humana é *antidevir*. Na medida em que cada vida possui sua evolução criativa, a política humana é *antivital*.

Todos os três componentes da política humana — a figura do humano, a base do animal da qual ela se sobressai e a zona de indiferença explorada pelo estado de exceção através do qual essa diferença estrutural é suspensa visando a um reenquadramento refundacional — podem ser considerados patológicos de acordo com os critérios de Bateson. A preocupação com o enquadramento, o duplo-enquadramento e o paradoxo compartilhada por Bateson e Agamben nos autoriza a pensar conjuntamente o político e o "psicológico" — lembrando, mais uma vez, que estamos falando não sobre "o" sujeito, mas sobre subjetividades-sem-sujeito. Ou, para sermos exatos, estamos falando sobre movimentos qualitativos de uma natureza tendencial na qual o sujeito não possui ser, mas apenas extrasser, coincidindo com o elemento de pura expressão em devir. Isso significa, no fim, que existe apenas um sujeito, e ele é múltiplo: o sujeito transindividual do animal integral superando a si mesmo (como discutido no suplemento 1).[17] Continuando:

---

17 O conceito deleuziano de "extrasser", tal como aqui mobilizado, converge com a teoria de Whitehead do sujeito como superjecto: "Essa é a doutrina da unidade emergente do superjecto. Deve-se conceber uma entidade atual tanto como um sujeito que preside sua própria imediatez de devir [como uma forma dinâmica se transindividuando] e um superjecto, que é uma criatura atômica exercendo sua função de imortalidade objetiva [o ato de deixar para trás do potencial em forma de rastro para devires subsequentes assumirem suas próprias constituições]. Ele se tornou um 'ser', e pertence à natureza de qualquer 'ser', que é um potencial para qualquer 'devir' (Whitehead, *Process and Reality* op. cit., p. 45). O "ser" do superjecto é um devir atingindo sua culminação ("satisfação") e, nesse momento preciso, "perecendo" no potencial que lega ao mundo, contribuindo para as condições reais de emergência do que poderia vir em seguida. O superjecto corresponde intimamente à "síntese disjuntiva de consumo" de Deleuze e Guattari em O *anti-Édipo* ("então era isso!", pp. 116-118).

Que se entenda por político-patológica qualquer tendência que se enquadra num desejo de evitar a abstração vivida. Reforçar a linha divisória entre as diferenças estruturadas a fim de cominar o enquadramento ao deslizamento e ao apagamento que emergem com o paradoxo corresponde à normatividade neurótica, que se investe de corpo e alma na compulsão de repetir o mesmo, na medida do humanamente possível. É a *normopatia* de Jean Oury.[18] A normopatia amplia a mínima diferença, deflagrada pelo paradoxo da brincadeira, numa diferença monumental que é levada a sério demais. A lacuna é erigida num divisor estrutural, o qual é defendido a todo custo em nome "de como as coisas são". Nenhuma mistura é permitida: brincadeira ou luta — por amor à sua sanidade, não ouse fazer as duas de uma vez.

Se, contra essa defesa, apesar dos maiores esforços da sanidade normopática, as diferenças se fundem numa zona de indiferença em que as categorias do ser não podem mais ser tendencialmente discernidas, a lacuna entre os níveis lógicos e o divisor entre os termos mutuamente exclusivos implodem. O signo é levado a sério como o que denota o que iria denotar. Isso implica uma confusão entre o que "é" e o que "poderia ser", na ausência efetiva de qualquer linha potencial de um gesto enativamente desempenhável que forneça uma linha de fuga transformativa. A supressão normopática da zona de indiferença emerge. O fundo de toda estrutura emerge à superfície. A apetição, é claro, nunca cessa. É da natureza da apetição nunca cessar. Sob essas condições, seu movimento incessante só pode agora andar em círculos. Ele pode discernir a diferença e a distinção entre categorias lógicas

---

18 *Caosmose*, trad. bras. de Ana Lúcia de Oliveira e Lúcia Cláudia Leão. São Paulo: Editora 34, 2006, p. 99.

somente até o ponto de cair novamente em uma confusão entre o "é" e o "poderia ser". Isso resulta numa hiperprodução de conexões associativas indiferentes à distinção entre o fato corporal e a possibilidade, um muito facilmente seguindo para o outro. Estranhamente, a implosão do signo na denotação daquilo que ele iria denotar resulta num deslizamento compulsivamente associativo. O que desliza é o potencial para uma transformação enativamente desempenhável. Na ausência processual do potencial gestual para a transformação-*in-loco*, instala-se um sentimento de impotência. Esse sentimento segue a própria ladeira escorregadia, tendendo a evoluir para um presságio e, então, uma ameaça — até mesmo uma perseguição. A tendência, em resumo, vai em direção a uma paranoia. Essa é a pira *psicótica* da normopatia (usando a palavra *psicótico* num sentido não técnico e amplo).

É crucial ter em mente que essa figura desestruturada da psicose não tem nada a ver com a figura processual da esquizofrenia, tal como teorizada por Deleuze e Guattari. O esquizofrênico de Deleuze e Guattari é a figura da afirmação absoluta da tendência supernormal e tem a ver com a intensificação do movimento animal da variação supernormal — logo, com a produção de diferenciações cada vez mais efetivas. O psicótico, no sentido desestruturado, é o "trapo" humano produzido pelo bloqueio da tendência desejante pela imposição da indiferenciação como única alternativa à normopatia.[19] O psicótico, no sentido patológico, traz a indiferenciação que bloqueia o desejo supernormal numa expressão frenética, pressurizada pela colisão do apetite contra um impasse. Em vez de monumentalizar a diferença mínima, o psicótico a declina na velocidade de dobra,

---

19 Deleuze e Guattari, *O anti-Édipo* op. cit., pp. 15, 34-35, 121-123.

fazendo-a voltar para a indiferença antes que ela se desdobre transformativamente. O fascismo é um regime misto no qual há uma oscilação louca entre a normopatia coletiva e a paranoia da psicose coletiva.

O próprio Bateson não toca no terceiro componente político-patológico: a pedra angular da exceção soberana. Mas não é difícil dar um nome que se alinhe aos dois diagnósticos que acabamos de apresentar: *sociopatia*. A soberania agambeniana é a sociopatia constitutiva da política humana. Que se entenda por sociopata qualquer mecanismo que funcione para reproduzir mais normopatia e psicose, em seus antidevires complementarmente infernais. A sociopatia da soberania está intimamente relacionada ao fascismo, ainda que a ele não se reduza.

A sociopatia, como a esquizofrenia nos termos de Deleuze e Guattari, é uma tendência impessoal. É transindividual e transsituacional ao seu próprio modo; logo, jamais afeta um sem afetar, pelo menos, dois. É transsituacional, na medida em que seu estado de exceção é sempre um limiar entre duas reordenações. Diferentemente da tendência esquizofrênica, a tendência sociopática é político-patológica por natureza, em todos os casos: tanto no sentido trans(individual/situacional) quanto no personalizado, para se adequar aos contornos da corporalização individual. A individualização dessa patologia soberana ocorre quando a tendência sociopática impessoal perde ou renuncia ao seu poder transindividual fundacional e vira monossituacional. Isso ocorre por força da privatização, na retirada do campo relacional da animalidade (e até mesmo do seu representante humano atrofiado, a esfera pública). A sociopatia, tanto no nível individual quanto no jurídico-político, é a tendência antivital que estrutura a política humana. Ela abarca as tendências normopáticas e psicóticas, absorvendo ambas em seu movimento soberano. Todos os regimes de soberania, não só o fascismo, são regimes sociopaticamente mistos que abarcam esses níveis e tendências. Cada um inventa a própria resolução dinâmica para sua respectiva tensão constitutiva entre os polos normopático e psicótico.

Uma simples visita ao zoológico é uma instanciação menor dessa estrutura demasiado humana: um conto de moralidade peludo, plumado ou escamoso que repete uma variação zoo--lógica da história da política humana. A rigidez neurótica da separação *zoé*-animal/*bios*-humano não é suficiente para prevenir que se forme uma zona de indiferença. O zoológico, na verdade, favorece ativamente a sua formação, por meio de suas atividades interpretativas e de relações públicas. Uma constante dessas atividades é a humanização dos animais. Eles são conhecidos pelo nome, escolhidos com a devida atenção ao quesito fofura. Seus romances e os nascimentos deles resultantes, não menos que suas lastimadas mortes, geram sempre notícia. Todo o possível é feito para incitar o público humano a se identificar com os animais do zoológico a fim de arrecadar fundos. Uma confusão identificatória é sobreposta à separação categórica inerente à instituição do zoológico. Sabemos de que lado das grades nós estamos. Ainda assim, não sentimos alegrias e aflições pelos animais? Não compartilhamos vicariamente de suas vitórias e derrotas? O zoológico não é apenas um local de confinamento, é também a porta de entrada para um melodrama que dota de *bios* os seres que são consignados à definição categórica de *zoé*. Os contornos felpudos dessa mútua inclusão emocional não substituem a dura exclusão constitutiva da política humana. Eles se acrescentam a ela, paralelamente e em outro nível, ou como um palimpsesto; ou, ainda, como uma sobreposição decorativa aplicada às duras paredes da soberania humana como uma camada de papel de parede. Nesse caso, somos ativamente encorajados a confundir a figura pintada com o papel de parede. E poderia ser diferente disso, quando o papel de parede da identificação se sobrepõe à pesada moldura da distinção *zoé/bios*?

A operação de sobreposição identificatória é alcançada através de projeção. Somente emoções projetadas são suficientemente flexíveis para driblar as grades, passando por cima da segregação que sua própria operação pressupõe. Se psicose significa cair numa zona de indiferenciação, então projeção identificatória se qualifica como um grau variante dela. Como uma confusão categorial, situa-se no espectro psicótico, mas numa de suas pontas, bem próxima do normopata, compartilhando alegremente de sua generização normativa e de seus gêneros narrativos. A operação de projeção identificatória injeta uma dose controlada de histrionismos parapsicóticos na instituição do zoológico. Abrangendo o normopático e o psicótico ao seu modo, aplica um toque final sentimental à estratificação sociopática específica do zoológico.

A figura exclusivamente incluída do animal como definido pela *zoé* some de vista, ficando atrás do papel de parede zoológico. Os animais agora têm rostos e pensamos ver nos seus olhos a imagem refletida de nossa própria humanidade. Isso facilita o desconhecimento dos visitantes acerca da natureza da política e da política da natureza que testemunham.

A chave da operação é uma conversão do afeto dominante da situação. O horror ao visível sufocamento da vitalidade dos animais é convertido em diversão — a diversão, em grande medida, é reconhecer-se no outro. É claro que a operação nem sempre funciona. As crianças, que são seus principais alvos, são frequentemente as menos capazes de negligenciar o horror e fazer vista grossa para a singularidade do animal, ao passo que os adultos que as acompanham, sedentos por uma pausa divertida no trabalho duro de criar a próxima geração de normopatas, adicionam histrionicamente seus esforços em doses identificatórias. Quando isso funciona, o que vemos é uma encenação do cinismo estrutural da política humana. O cinismo consiste no revestimento da barbárie estrutural de sua exclusão inclusiva com uma superfície humanizadora aplicada. Esse é um exemplo do tipo de antropomorfização que merece ser veementemente denunciada.

Como uma política animal deve lidar com a política humana da estrutura zoo-lógica, dado que sua estratégia preferida não é a denúncia? Às vezes a denúncia é necessária, mas nunca é o suficiente. A política animal sempre busca uma maneira de alavancar a criatividade, mesmo nas situações mais fortemente fechadas e passíveis de denúncia, abrindo uma fresta pela qual a tendência supernormal consiga se safar, alçando voo em direção à superação do que está dado. Onde é que uma abertura como essa pode ser encontrada na face humanizada do confinamento estrutural do animal? No confinamento do animal à dependência total ao que lhe é zoo-logicamente dado? Na escravidão corporal do animal à mão (ou ao polegar opositor) daquele que o trata, matizado somente com uma camada de cinismo sentimental? Todas essas perguntas resumem-se a uma: como é que, apesar de tudo, o zoo-lógico ainda é lúdico?

Bateson inclui, de forma interessante, o "histrionismo" no "complexo de fenômenos" que compõem o campo da brincadeira, tudo isso envolvendo algum tipo de jogo na distinção entre o mapa e o território.[20] A superfície da identificação zoo-lógica não poderia ser considerada um mapa projetivo

---

20 Bateson, "A Theory of Play and Fantasy" op. cit., p. 181.

do zoológico como um território de encontro interespecífico que produz, dele, uma distorção anamórfica (ana-antropomórfica)? Manter um olho na anamorfose é crucial porque a superfície de identificação não é, de maneira alguma, um mapa não distorcido da estrutura da política humana à qual fornece suporte moral. O borramento da estrutura é uma parte funcional dessa instanciação particular da estrutura. Em outras palavras, enquanto um gesto de mapeamento, isso não cobre propriamente o território ao qual aplica sua metacamada, no sentido de ligar cada ponto de sua superfície a um ponto correspondente no território. Enativamente, o mapa é, na verdade, uma peça adicionada à estruturação multinível do território. Ele é uma parte disso, com uma função seletiva em relação ao território do zoológico: editá-lo distorcidamente.

O que é editado anamorficamente é o fato de que há uma atividade de outra natureza que segue em frente, a despeito da estruturação. Essa atividade segue esburacando minimamente a estrutura, impulsionada pela pressão de um apetite, não totalmente sufocado, de transbordá-la. Por mais rígida que seja a separação categorial subjacente, e por mais sentimentalmente efetivo que seja o seu revestimento, resta um resíduo animal incontido. Também acontece outra coisa que não pode ser reduzida nem à separação mutuamente exclusiva entre *zoé* e *bios*, nem à zona compensatória de indiferenciação da identificação projetiva, nem sequer à sociopatia de seu funcionamento zoo-lógico conjunto.[21] Algo ainda se move

---

21 No vocabulário de O *anti-Édipo*, a estrutura da política humana é a "representação recalcante" do excepcionalismo humano que serve como uma isca para o desejo animal. Deleuze e Guattari (O *anti-Édipo* op. cit., pp. 157, 218-220) argumentam que o discurso psicanalítico é parte integrante da representação recalcante da família edípica. O pensamento de Agamben, por todo o seu interesse, tem de

de modo imperceptível por baixo da superfície do teatro sentimental das emoções humanas, percolando distorcidamente a estrutura da qual constitui o fundo.

A estrutura da política humana não é tudo que há em vigor. Há uma sobra de política animal, um excesso residual disso que se move no fundo do fundo, na tendência autotransbordante que preenche o campo do *continuum* da natureza. O duo zoo-lógico figura/fundo — o mapa distorcido e o território institucional, respectivamente — destacam-se contra esse fundo movente. O fundo da tendência supernormal ainda-movente enquadra duplamente a estrutura zoo-lógica em seu próprio subterraneamento potencial. Representa a desterritorialização potencial da estrutura. Esse fundo de subterraneamento nada mais é que a autoafirmação da vitalidade animal, o entusiasmo do corpo autocondutor que nunca pode ser inteiramente acalmado.[22] Comoções vitais microagitam a

---

ser considerado como parte integrante da representação-recalcante da estrutura *zoé-bios*, na medida em que impõe a alternativa infernal entre essa ordem de diferenciação e indiferenciação humano-política. Isso leva ao impasse do potencial negativizante. Para Agamben, o mais alto potencial, a "pura potência", só pode ser construído como o "poder de não": a potência suspensa e sem saída, numa zona irredutível de indistinção que mantém o agir e o não agir e o pensar e o não pensar numa contradição insolúvel — ou, para sermos mais precisos, a única saída não é a afirmação ou a apetição, mas a indiferença elevada à última potência, onde a contradição se dobra sobre si mesma em uma negação da negação (Agamben, *Potentialities: Collected Essays in Philosophy*, trad. ing. de Daniel Heller-Roazen. Stanford: Stanford University Press, 1999, pp. 141, 143). O pensamento de contradição e negação só consegue captar "condições lógicas de possibilidade" (causa formal), o que ele encontra não nas lacunas dinâmicas do mundo, mas na aporia (causa formal elaborada numa teologia negativa, na qual àquilo que é considerado paradoxo estéril, na perspectiva aqui desenvolvida, atribui-se a um poder messiânico).

22 Sobre o chão sem fundo da experiência vital que o ultrapassa, cf. Deleuze, em *Diferença e repetição* op. cit., p. 138) e o item "Segunda característica: afirmar a diferença" do mesmo livro.

estrutura.[23] É sempre esse o caso. Sempre há movimentos de fuga incipientes até mesmo na estrutura mais humanamente impermeável, esburacando-a com minifissuras, ameaçando miná-la como um dique com vazamentos. Há sempre uma tendência supernormal a escapar, até mesmo dos prazeres macios da sentimentalidade que compensa o horror da barbárie da qual o humano mais se orgulha, talvez mais arrogantemente onde o orgulho passa despercebido como questão política: a excepcionalidade do seu ser específico.

"É provável", escreve Bateson, "que não somente o histrionismo, mas também a espectatorialidade, devam ser incluídos nesse campo" da brincadeira.[24] Se a espectatorialidade faz parte do campo da brincadeira, então não podemos considerá-la uma via de mão única. Como Bateson sublinha, no campo da brincadeira sempre se trata de diferentes papéis mutuamente incluídos no mesmo "complexo". O complexo inclui mutuamente disparando ações e suas "recíprocas": as ações do outro ou dos outros trazidas para a brincadeira pela força transindividual da transformação-*in-loco* que o gesto lúdico enativa.[25] Quando aplicado à espectatoralidade, esse princípio tem implicações importantes. Em vez de uma via de mão única, a espectatorialidade tem de ser entendida como uma relação. A relação deve ser compreendida como recíproca, como uma *atividade* bidirecional que abarca o diferencial entre os papéis que se reúnem em contraponto. Isso significa que todos os envolvidos são, de alguma maneira, participantes ativos, apesar do ostensivo

---

23 Isso é o que chamo de "atividade nua" (Massumi, *Semblance and Event* op. cit., pp. 1-3, 10-11; 2010), discutida abaixo no suplemento 3, ponto 4.

24 Bateson, "A Theory of Play and Fantasy" op. cit., p. 182.

25 Ibid., pp. 181-182.

monopólio de atividade de um lado ou de outro (no teatro, do lado dos atores; no zoológico, do lado dos espectadores que perambulam e identificam-se projetivamente). Não há jogador passivo. A brincadeira é um complexo dinâmico, um campo integral de ação diferencial, aglutinando-se diversamente em mútua inclusão.

"O" espetáculo não é monolítico. Para utilizar uma frase de Ruyer, é um "complexo espetáculo-espectador".[26] A relação espectatorial é um campo de atividade distribuído. É saturado pela reciprocidade da relação. Quando os macacos estavam brincando diante do antropólogo que os observava, o antropólogo estava ativamente implicado com eles no complexo lúdico que seus gestos ocasionavam, numa transformação-*in-loco* que arrebatava ambos os lados, de um modo não inteiramente alheio ao tipo de puro devir duplamente desterritorializante discutido no suplemento 1. Quando a feliz multidão de projeções aguarda em fila pela oportunidade de ceder a alguma projeção sentimental com as celebridades que são os pandas recém-nascidos, os animais observados entram imediatamente num complexo campo de relação com a multidão humana através das grades. Há devires em curso, a pé e a pata; e se não passam de agitações, elas são tudo, menos imperceptíveis.

O animal dentro da jaula não está tão contido quanto parece num primeiro momento. Talvez a maior arma da política humana seja fazer parecer que ele esteja. Acaso não são as crianças que sentem o horror, sentindo algo vital através de horror? Algo que é radicalmente alheio à estrutura da política humana e à sentimentalidade indiferenciante e tão humana segundo a qual o horror deve ser anamorficamente convertido? O que elas sentem, intuitivamente, não é algo extra

26 Ruyer, *Le néo-finalisme* op. cit., pp. 203-221.

imperceptível, deixado para trás na operação humano-política da conversão afetiva? Esse algo extra poderia ser um resíduo inconversível da simpatia animal? Pertencente a outra política?

Debaixo dos pegajosos paralelepípedos da estrutura da sentimentalidade identificatória e do horror de sua política humana jaz a praia da simpatia animal. Ou: às margens do mar indiferenciado do sentimento humano submergindo os destroços da separação *zoé-bios* jazem os turbilhões da maré da animalidade transindividual, traçando de uma só vez as linhas diferenciais de seus movimentos tendenciais nas areias de todos os continentes, independentemente das distâncias estruturais que os separam. Ou ainda: ladeando e fissurando a emoção humana jaz o afeto vitalmente animal.

A simpatia, como previamente argumentado, não opera a partir do ponto de vista de um dado participante. Não é uma ancoragem individual na situação a partir de um ângulo particular. É uma perspectiva de reciprocidade situacional de todos os ângulos. É menos uma perspectiva situada do que uma perspectiva situacional: uma inspeção imanente da mútua inclusão diferencial das ações potenciais de tudo o que foi gesticulado no acontecimento que acaba de se deflagrar. Vimos que a reação de um participante já foi incluída potencialmente na ação do outro, presente em germe na -esquidade do gesto lúdico. A simpatia é essa imediatez transindividual. Como discutido anteriormente, a perspectiva situacional enativada no ato simpático é chamada, na terminologia de Ruyer, de "inspeção absoluta". Isso é um englobamento integral da situação no pensar-fazer, na imediatez da situação, sem o ponto de vista de uma dimensão suplementar a partir do qual, como que de fora, olhar para ou olhar de cima a situação. A simpatia é o entremeio imanente da situação, diretamente sentido no pensar-fazer da ação por vir.

O que é sentido na simpatia é a *forma dinâmica* da *situação*. Isto é sentido não a partir do ponto de vista de um ou outro participante, mas a partir da perspectiva situacional daquilo que, potencialmente, passa entre eles. *A simpatia não é identificatória* e não envolve, de maneira alguma, uma indiferenciação. Ela movimenta a experiência com um entendimento enativo do diferencial entre os respectivos papéis a serem interpretados reciprocamente entre os participantes: o que Ruyer chama de "tema formativo" da situação.[27] O tema formativo é o que foi chamado anteriormente de "forma dominante". Para retornar ao principal exemplo utilizado no corpo deste ensaio, o combate é o tema formativo tanto da luta quanto da luta de brincadeira, a diferença está na ponderação relativa do fator criativo da mais-valia de vida que advém com o entusiasmo do corpo, relativa ao valor de sobrevivência que advém com o esforço corporal diante dos imperativos dados da situação (ou entre a intensidade da abstração vivida e a compulsoriedade da importância vivida).

O tema está de um lado *e* do outro. Está em todos os lugares da situação, diferencialmente distribuído pela diversidade de papéis definidos na brincadeira. Aqui e acolá, e por toda parte distribuído, o tema é "não localizável".[28] É o sabor

27 Ibid., pp. 17-18. Bergson também fala de "instinto" em termos de temas. Comparando o comportamento instintivo em insetos sociais, ele diz que os comportamentos não são reunidos parte a parte, mas ocorrem em blocos temáticos cujos elementos sofrem, todos, variação integral. "Com toda probabilidade, a maior ou menor complicação dessas diversas sociedades não se prende a um maior ou menor número de elementos adicionados. Encontramo-nos, antes mesmo, diante de um *tema musical* que se teria primeiro transposto, como um todo, em um certo número de tons e sobre o qual, ainda como um todo, teriam sido depois executadas variações diversas, umas muito simples, as outras infinitamente engenhosas. Quanto ao tema original, ele está por toda parte e em parte alguma" (Bergson, *A evolução criadora* op. cit., p. 186, tradução modificada).

28 Ruyer, *Le néo-finalisme* op. cit., 1952, p. 12.

tendencial da situação. É o "o que" que está acontecendo, na medida em que orientado por um movimento tendencial que arrebata a situação. Há uma genericidade no desdobramento temático, no qual os parâmetros gerais do resultado estão dados de antemão. Na brincadeira, o resultado genérico é: expressar inventivamente o entusiasmo do corpo. No combate, é: lutar ou fugir, ganhar ou perder. Na predação: comer ou ser comido. Apesar de os parâmetros estarem geralmente dados e serem entendidos intuitivamente desde o primeiríssimo gesto, o fim nunca corresponde inteiramente a uma conclusão prévia, e isso também é imediatamente entendido a partir da primeira descarga gestual de atividade que dispara o acontecimento. A abertura vai além da incerteza sobre a qual incidirá o fim alternativo genérico. Há sempre também a possibilidade criativa de que uma improvisação espontânea — uma invenção estética enativa — inflexione o desdobramento tendencial, conferindo à genericidade do tema uma virada singular, um algo extra que supera o conhecido "o que" do que está acontecendo com um imprevisto "como" isso terá acontecido. O "entendimento" simpático da orientação tendencial do tema, incluindo um entendimento intuitivo da maneira pela qual sua dadidade genérica poderia ser superada no acontecimento por vir, advém com a imediatez da "consciência primária".

A consciência primária que advém com a simpatia é uma consciência relacional e situacional. Isso significa, uma vez mais, que é não localizável. Não é redutível à consciência de um indivíduo. É o compartilhamento recíproco de indivíduos envolvidos na consciência da situação. É a consciência diferencial da integralidade da situação: a unidade dinâmica de sua ação enquanto aquilo que inclui mutuamente o diverso. É o entendimento intuitivo do que não afeta um sem afetar o outro. Em outras palavras, é a *consciência afetiva* do dinamismo da situação, registrando o "o que" que está tematicamente em jogo nisso com o "como" do desdobramento tendencial do tema, incluindo tanto a genericidade da situação quanto sua inflexão potencial direcionada à evolução supernormal.

Sim-: junto / *patia*: ser afetado. Aquilo com o que a consciência dinâmica "simpatiza" é a *forma dinâmica* do que está por vir, afetando a um e a todos, diferentemente juntos e orientados tematicamente. Em resumo, a consciência afetiva é a experiência imediata do *afeto transindividual* do acontecimento que se desenrola. "Afeto" é utilizado aqui sem um qualificador para englobar tanto o afeto de vitalidade quanto o afeto categórico, uma vez que eles se reúnem tematicamente num complexo. A simpatia é a consciência primária do complexo afetivo na brincadeira. Ela inclui uma percepção, imediatamente sentida, da *compleição afetiva* da situação (a textura do afeto de vitalidade e do afeto categórico; o modo como se misturam e sua proporção tendencial).

A sentimentalidade humana edita a compleição. Ela salienta o afeto categórico, devidamente convertido, e enfatiza de modo seletivo seu "o que" temático. Isso minimiza o "como" singular do elemento do afeto de vitalidade. Enfatiza a genericidade da situação em detrimento da sua singularidade e silencia o seu dinamismo. Como resultado desse silenciamento da forma dinâmica do acontecimento, o "o que" fica parecendo menos uma dimensão de um acontecimento e mais uma coisa. Ele é sentido como o *conteúdo* qualificado do acontecimento. Através de projeção identificatória, a sentimentalidade reflete o conteúdo relacional de volta no indivíduo. O "o que" de que se trata é sentido como algo que cada indivíduo tem dentro de si, como uma função de seu ponto de vista particular na situação. Ponto de vista: um panorama *sobre* o conteúdo. O sentir emerge como que de uma dimensão suplementar, a uma distância mediada. Isso modifica a compleição afetiva da situação. A ponderação muda a favor do afeto categórico em jogo e de seu tematismo genérico, convertendo efetivamente a absorção primária pelo indivíduo no afeto transindividual da situação numa emoção privadamente possuída e convencionada. Essa conversão interiorizante do complexo afetivo transindividual na moeda da emoção humana convencional é o que traz a situação para a seara da política humana.[29] Ela *traduz simpatia animal em emoção humana*.

Algo se perde nessa tradução humano-política. A interiorização do afeto categórico, minimizando o entusiasmo do corpo do afeto de vitalidade, confina a experiência em sua própria generalidade. É a genericidade do tema que agora tem o maior peso. O potencial inventivo singular da situação é deixado de lado, bem como sua dimensão transindividual. Essa produção da emoção humana individualizada é altamente política, onde quer que ocorra. É um modo de minimizar o potencial inventivo tendencialmente em jogo. Ela ajuda a assegurar que o que transpira no final seja uma refundação de uma antiga ordem baseada em distinções categóricas já genericamente *in loco*. Ela cria uma situação na qual o tema pouco provavelmente excederá seus parâmetros e as alternativas já dadas neles inscritas. Considere uma discussão de casal genérica. Seu desdobramento está, em larga medida, traçado de antemão. Você não sabe como vai terminar só porque ainda não é certo qual dos dois finais mutuamente exclusivos vai acontecer (ruptura ou reconciliação). Em todas as situações nas quais a experiência do afeto de vitalidade foi

---

29 Sobre a conversão do afeto envolvente em conteúdo emocional, cf. Massumi, "Fear (The Spectrum Said)" op. cit., pp. 37-38.

desenfatizada em relação ao afeto categórico, de modo que o lado emocional da moeda afetiva sempre caia com a face para cima, há duas alternativas hedônicas: prazer ou dor; feliz ou triste. Hollywood, aí vamos nós.

A *intensidade* do entusiasmo do corpo animal é, por contraste, *não hedônica*; e comporta uma carga de sensações com qualquer número de resultados mutuamente inclusivos a cada passo do caminho, não somente dos dois convencionados. A intensidade é, por natureza, qualitativamente extra: uma mais-valia de vida. Ela responde apenas a critérios imanentes pertencentes à sua própria carga de potencial, não a critérios genéricos de juízo aplicados de fora. Em si, é singularmente inqualificável. "Feliz" ou "triste", até mesmo "prazer" ou "dor", nem sequer começam a expressá-lo. Feliz e triste, dor e prazer são experimentados em graus quantitativos, como um termômetro de sensação vital, ou um pluviômetro captando lágrimas. A intensidade da vitalidade marcada pelo entusiasmo do corpo é imensurável. É puramente qualitativa. Não há como medi-la. É somente pensável-realizável, sentida com um excesso emocionalmente inexpressível de sua própria qualidade de vida. Em outras palavras, só pode ser intuitivamente entendida ao vivo. Nunca pode ser completamente analisada, *a posteriori*, como emoção (que sempre convida a uma superinterpretação, quando não dada como certa). É algo sobre o que de fato podemos pensar; mas cada vez que pensamos nela, estamos efetuando-a de novo, de modo diferente, num potencial realmente sentido. O conteúdo emocional, isolado como tal da força performativa do afeto de vitalidade, está sob o domínio daquilo que já está dado. É uma das expressões mais humanas da dependência genérica em relação ao que já foi tematicamente expressado. É por isso que ele se presta ao melodrama, o qual dedilha as cordas do já reconhecível no violino da sensação. O melodrama, e mais amplamente o histrionismo, não é só uma variação da emoção humana entre outras. É seu epítome.

A emoção humana é a sensação limitada a repetir-se, na medida do possível, dentro de parâmetros conhecidos: a velha ladainha. A intensidade do afeto de vitalidade, por outro lado, sempre enfatua vitalmente a si mesma. Seu confinamento é contravital. É a antivida animal clamando contra o excesso inventivo. A excessividade que resta na emoção é uma expressão do afeto de vitalidade e do entusiasmo do corpo pressionando para se fazer sentir. O restante do excesso na emoção é vestigialmente lembrado na raiz etimológica da palavra. *E-movere*: mover(-se) para fora; superar-se dinamicamente.

Quando o entusiasmo do corpo vem a ser emocionalmente contido, fica pressurizado pelo confinamento. Só pode ser expresso de maneira distorcida. Ele se expressa não como um movimento de autossuperação-em-devir, mas apenas como um (de forma frequente e embaraçosa transformado em clichê) estar emocionalmente fora de controle (tomado erroneamente como paixão animal). A sentimentalidade isola-se até mesmo dessa saída de emergência histriônica, constrangida aos moderados graus medianos do termômetro do histrionismo humano-emocional. Na escala humana de emoção, a simpatia animal é traduzida em seu análogo humano esmaecido: *empatia*. O epítome dessa tradução é encontrado no melodrama (a mágoa e a pena).

A sentimentalidade faz como se não houvesse nenhuma saída além das alternativas já conhecidas. Mas sempre há algo que escapa ao confinamento, ainda que isso não consiga achar por onde se expressar. Há uma contrapressão tendencial ao confinamento. Há sempre algo revolvendo nas microfissuras da estrutura da personalidade humano-política, preparando-se para vazar. É tão animalmente certo ser esse o caso que se torna possível utilizar a sentimentalidade como um índice contraintuitivo de um devir-em-espera. Há uma positividade paradoxal ao sentimento como um signo do devir. É demasiado fácil denunciar a sentimentalidade (como acabamos de fazer). Mas talvez a denúncia não venha ao caso. Talvez o que esteja em questão seja outra coisa. É tão fácil denunciar a sentimentalidade que a própria denúncia se torna uma melodia embotada. É muito fácil investir emocionalmente na denúncia. O problema é que a denúncia, ela própria, é muito humana.

Denunciar é uma coisa. Traçar uma cartografia do gesto vital é outra. Todas as ações e sensações são gestos vitais de uma maneira ou de outra. Até mesmo o mais antivital dos gestos borbulha de vida em algum nível. Uma cartografia dos gestos vitais registra essas borbulhas. Ela desce ao nível das microfissuras para intuir qual o potencial de singularização que elas anunciam. Isso só pode ser uma cartografia vivida fazendo com que o tema seja de novo formativo — infectável de uma maneira inventiva, vitalmente improvisável. Em vez de reprisar a mesma e velha trilha sonora, a cartografia vivida do sentimento reencena a situação, ajustando-a para que ultrapasse a si mesma. Isso requer que o indivíduo assuma completamente sua implicação transindividual na situação. O confinamento na emoção é traduzido de volta em lampejos de potencial de escape transsituacional. A reterritorialização da paixão animal em emoção humana é atraída de volta para uma desterritorialização potencial. O humor emocional basicamente estático é traduzido de volta ao modo condicional da possibilidade ativa.

A sentimentalidade "faz como se"... (como se não houvesse saída além da alternativa já conhecida). A cartografia vivida, entendida no sentido imitativo, nunca faz "como se".[30] A imitação é a identificação quando projetada de volta à sua fonte, sobrepondo a forma do outro no espectador. É uma sobreposição de volta à fonte a partir da qual emana a identificação projetiva discutida acima. Em ambos os casos, a zona de indiferença identificatória serve como meio de transporte para a mesmidade da forma. Na visita ao zoológico, a antroforma se anamorfiza no animal. Na imitação, o movimento vai na direção oposta. É a forma do animal observado que se anamorfiza no espectador humano, revestindo-o com um motivo animal. É uma reprojeção secundária — uma retrojeção distorcida — condicionada por uma projeção ana-antropomorfizante prévia. Somente humanos imitam animais. Até mesmo nas situações mais íntimas e humanamente ordenadas nas quais os animais convivem com os humanos, no papel do animal de companhia ou na criação de animais, eles jamais imitam os humanos. Eles se relacionam com eles. Nesse sentido, a identificação só vai num sentido.[31]

---

30 Como parte de uma constelação conceitual distinta, o "como se" pode ser tomado num sentido de potencialização estética. Cf. "Just Like That" (Manning e Massumi, *Thought in the Act* op. cit., pp. 31-58), no qual a questão conceitual é a relação entre linguagem e movimento.

31 A atenção crítica à dinâmica humana de identificação possibilita estratégias para uma reivindicação de treinamento e de domesticação, a despeito das assimetrias de poder autoevidentes, como nos trabalhos de Donna Haraway (*When Species Meet*. Minneapolis: University of Minnesota Press, 2007) e Vinciane Despret (Despret e Porcher, *Être bête*. Paris: Actes Sud, 2007). Parenteticamente, há uma interpretação errônea, em Haraway, da infame asserção de Deleuze e Guattari de que "todos aqueles que amam os gatos, os cachorros, são idiotas" (*Mil platôs*, v. 4 op. cit., p. 21). A citação é tomada fora de contexto. Deleuze e Guattari estão falando especificamente acerca da familiarização edípica dos animais domésticos (gatos e cachorros tratados sentimentalmente como crianças humanas). A crítica é contra esse gesto *humano* de identificação projetiva. Ela não se dirige, de modo algum, a cães e gatos, ou *pets* em geral — ou tampouco a humanos que têm animais de estimação, em geral. Qualquer animal, continua a passagem, até mesmo cães e gatos, até mesmo

A cartografia vivida jamais imita. Seu elemento não é o imitativo "como se". É o *"assim"* inventivo. O "assim" é o "como se" com um detalhe extra que excede todas as expectativas. Fazer "como se" é reproduzir uma forma. "Fazer "assim" confere à forma uma virada singular. Traz autossuperação à forma, não por meio de projeção, mas de um gestual -esco criativamente catalítico. Quando uma criança humana brinca de animal, é fácil confundir o que ela está pensando-fazendo com um jogo humano de imitação, como se a criança estivesse tentando fazer com que a própria forma se conformasse com a do animal. É tudo tão fofo e facilmente sentimentalizado. Mas, de acordo com Ruyer e Simondon, a imitação é um conceito mal construído. Na realidade, nunca simplesmente se imita uma forma, no sentido de se conformar à forma dada de outro ser. Pode-se certamente fazer como se estivesse efetivamente imitando. Entretanto, o que acontece é outra coisa, na verdade, tácita e inexpressivamente. Como diz Ruyer, *"só se pode imitar aquilo que se é quase capaz de inventar"*.[32] Aquilo que é sentimentalmente considerado imitação é, na verdade, a catalisação de um germe de invenção. Ele pode cair no solo infértil da família humanamente-política, com sua inclinação à edipianização. Ainda assim: sempre há aquela outra

---

animais de zoológico, pode participar de devires com os humanos (p. 22). "Haveria animais edipianos, com quem se pode 'brincar de Édipo', fazer família, meu cachorrinho, meu gatinho e, depois, outros animais que nos arrastariam, ao contrário, para um devir irresistível? Ou então, uma outra hipótese: o mesmo animal poderia estar tomado em duas funções, dois movimentos opostos, dependendo do caso? (p. 12, tradução modificada). Deleuze e Guattari claramente pendem para o lado da segunda hipótese: não é uma questão de uma característica essencial qualquer dos humanos ou dos animais, mas sim de "funções e movimentos opostos".

32 Ruyer, *Le néo-finalisme* op. cit., p. 138. Cf. "É sempre o imitador quem cria seu modelo e o atrai" (Deleuze e Guattari, *Mil platôs*, v. 1 op. cit., p. 23). Sobre a crítica de Deleuze e Guattari acerca da imitação em relação com o devir-animal, cf. ibid., pp. 19-20; *Mil platôs*, v. 4 op. cit., pp. 17-20).

dimensão de desterritorialização potencial na brincadeira. Algo borbulha, e a catálise incipiente que isso representa pertence não à forma animal entendida num sentido estático e substancial, mas sim à forma dinâmica da consciência primária simpática, inspecionando a situação a partir da perspectiva animal integral de sua capacidade de superar o que está dado. Não subestime os poderes vitais de "imitação" animal.

Pense numa criança brincando de animal. Decerto é fácil sentimentalizar a cena. Mas e se a levarmos a sério, isto é, se observarmos os seus aspectos que são verdadeiramente lúdicos no sentido mais criativo? Simondon escreve que a consciência do animal de que a criança dispõe envolve muito mais que um simples reconhecimento de sua forma substancial.[33] É só olhar para um tigre, ainda que de maneira fugaz e incompleta, seja num zoológico, livro, filme ou vídeo, e pronto! A criança é entigrezada. Transformação-*in-loco*. *A própria percepção é um gesto vital.* A criança imediatamente começa não a imitar a forma substancial do tigre que acabou de ver, mas a dar vida a ela — dando a ela mais vida. A criança brinca de tigre em situações nas quais nunca viu nenhum *tigre*. Mais que isso, ela brinca de tigre em situações em que nenhum *tigre* jamais foi visto, nas quais nenhum tigre terreno jamais colocou a pata. A criança imediatamente se lança num movimento de superação do que está dado, permanecendo de modo notável fiel ao *tema* do tigre — não convencionalmente, mas a partir do ângulo de sua potencialidade processual.[34]

---

33 Simondon (*L'information à la lumière des notions de forme et d'information* op. cit., p. 236). Cf. também o comentário de Muriel Combes (*Gilbert Simondon and the Philosophy of the Transindividual* op. cit., p. 27).

34 Para uma análise complementar de um encontro humano-animal lúdico, num zoológico, entre um bonobo adulto e um adulto humano, cf. Manning, *Always More Than One* op. cit., pp. 210-214).

Permanecer processualmente fiel a um tema vital não tem nada a ver com reproduzi-lo. Pelo contrário, envolve dar a ele uma nova interpretação, no sentido musical de desempenhar, dele, uma nova variação. A criança não imita a forma corporal visível do tigre. Ela prolonga o *estilo* de atividade do tigre, transposto nos movimentos da própria corporalidade da criança. O que a criança captou foi um vislumbre do dinamismo do tigre como uma forma de *vida*. A criança viu o afeto de vitalidade do tigre: os poderes de vida potencialmente criativos envoltos na forma corporal visível. O afeto de vitalidade do tigre perpassa o que uma análise formal pode isolar como sua forma corporal, mas nunca coincide com a forma visível. Os poderes de vida que chegam à expressão através das deformações da forma arrebatam a forma para dentro de seu próprio dinamismo supernormal, o qual se move através da situação dada em direção a outras mais abaixo da fila. Esse movimento transsituacional está em excesso em relação à forma. É o próprio movimento de autossuperação processual da forma visualmente dada. Isso é o que a criança viu — tudo num instante, num lampejo. Não só uma forma animal genérica: um movimento vital singular arrebatadoramente imanente à forma visível. O que as crianças veem: a imanência de uma vida. Não "o" tigre: tigretude. As crianças não divisam a forma do tigre. Elas têm uma *visão* intuitivamente estética do tigresco como uma forma dinâmica da vida. É isso que elas transpõem quando brincam de animal. Não sobre suas próprias formas, mas *dentro* de seus próprios movimentos vitais. Isso é o que Whitehead quer dizer quando afirma que um sinônimo de intuir é "visionar".[35]

35 Whitehead, *Process and Reality* op. cit., pp. 33-34.

Não há semelhança entre a forma da criança autoperformando tigrescamente e a forma visível, corpórea de um tigre. A criança não recebe e reproduz uma imagem visível do tigre. Em vez disso, a tigretude *anima* visionariamente a corporalização da criança, na direção de uma diferenciação. É precisamente esse processo que é definidor da imagem. Não há algo da ordem de uma imagem passiva. Não há algo da ordem de uma imagem privadamente recebida na interioridade do sujeito. Todas as imagens são ativas e suas atividades ocorrem situacionalmente, ou seja, relacionalmente. O tigresco ruge enquanto forma dominante dessa situação de brincadeira. Ele carrega um potencial análogo enquanto oposto ao poder conformativo. O potencial análogo é o poder da variação integralmente conectada, da mútua inclusão diferencial. A criança não produz uma correspondência conformativa entre sua própria forma corporal e a do seu análogo de tigre. Ela empresta entusiasticamente sua própria corporalidade à in-formação lúdica por meio da forma dominante da tigretude sob deformação visionária e variação.

Os gestos lúdicos da criança envolvem uma elaborada análise enativa daquilo que está dado nas situações em que um tigre possa se encontrar, extrapolando as posturas típicas da forma corporal visível e lançando-as ao movimento improvisacional de uma cartografia vivida que possui sua própria atividade. Em que circunstâncias um tigre ataca? O que esse felino tem que o permite nadar, devorar uma criança, escalar uma árvore? Espere: a -esquidade de um tigre é suficientemente felina para inspirá-lo a escalar, a ser determinado, a ser inventado? Quando é que um tigre viaja para outros planetas? O que faz um tigre voar? A análise enativa da tigretude feita pela criança não parte das formas visuais captadas estaticamente como posturas. Ela *parte de* situações dinâmicas que estendem a -esquidade humana para além de todo território conhecido.

As situações de partida são abordadas de uma perspectiva que não é a do tigre, mas também não exatamente a da criança. De acordo com Simondon, o gesto lúdico de brincar de animal expressa a "orientação" da situação de partida "integralmente", como um complexo. Ele explica que, com isso, quer dizer que a situação é captada a partir do ponto de vista de suas *polaridades*" e "*tensões*".[36] Esse é um modo de dizer que a análise é afetiva, não (con)formal. As polaridades têm a ver com os papéis diferenciais dramatizados na brincadeira, bem como com seus potenciais. Cada movimento de uma criança-tigre inclui o delineamento negativo da ação ou da reação dos outros participantes na situação, ainda que lá estejam apenas virtualmente. Esses entalhes de outros papéis traçam a *composição afetiva* da experiência: modos recíprocos de afetar e ser afetado na situação representando a si mesmo na ação-reação. Ação-reação: o ponto-contraponto gestual. A "compleição afetiva" da situação discutida anteriormente tem a ver com a ponderação relativa do afeto categórico e do afeto de vitalidade. A "composição afetiva" tem a mesma complexidade a partir do ângulo de como os gestos compõem-se em contraponto. Compleição afetiva e composição afetiva são dois modos complementares de analisar o mesmo complexo. A simpatia engloba ambos.

O ponto principal é que a criança não se coloca na forma do tigre, tampouco coloca a forma do tigre em si mesma (o que, em termos identificatórios, redunda na mesma coisa, a depender se olhamos do ângulo da projeção humana no animal ou da contraprojeção do animal retornando o gesto

---

36 Simondon, *L'information à la lumière des notions de forme et d'information* op. cit., p. 236; grifo nosso.

identificatório do humano para si mesmo). A criança se situa no campo de tensão transindividual da situação, polarizado em composição contrapontual.[37] Na brincadeira intuitivamente visionária da criança, o ponto do tigre in-forma o contraponto do devir-tigre da criança. A relação é imanente. Não é uma relação de ação-reação, no sentido corrente, que conota uma relação extrínseca. O que está em jogo é uma relação imanente de modulação. A criança não imita o tigre a certa distância. A criança é en-tigrada, numa vivida e infinita proximidade da tigretude.

Que criança brinca de animal só uma vez? Brincar de animal é uma vocação séria. O entusiasmo do corpo na brincadeira move-se de situação em situação, de brincadeira em brincadeira repetidamente variada. As variações seriais sobre a tigretude compõem uma cartografia vivida da corporalidade tigresca. Toda forma de dependência em relação ao que está dado, toda forma de dependência vivida a que uma corporalidade tigresca é suscetível é dramaticamente superada. *Todas as composições afetivas experimentadas derivam, por extrapolação vital, da polaridade espetáculo-espectador da cena primitiva da percepção animal* que catalisou a atividade contínua. Todas as variações sobre o complexo afetivo que se experimenta já estavam mutuamente incluídas na forma dinâmica embrionária da unicidade do gesto perceptual que desencadeou as séries de brincadeiras.[38]

37 Cf. a "teoria composicional da natureza" de Jacob von Uexküll (*A Foray into the Worlds of Animals and Humans*, trad. ing. de Joseph D. O'Neill. Minneapolis: University of Minnesota Press, 2010, pp. 171-194) e a variação sobre ela realizada por Deleuze e Guattari, *Mil platôs*, v. 4 op. cit., p. 120. Cf. também Deleuze, *Espinosa – filosofia prática*, op. cit., pp. 127-135).

38 Ronald Rose-Antoinette (*L'image est une expérience*, tese de doutorado. Paris: Universidade de Paris 8, 2013), trabalhando especificamente com a imagem cinemática, desenvolve uma ontologia da imagem como "transaparição" consonante

A tigretude começa a vazar pelas variações seriais. Começa a superar as situações dadas, nas quais razoavelmente podemos esperar que um tigre se encontre, e os modos de importância que essas situações apresentam. As tensões da corporalidade tigresca in-formam a corporalidade infantil na brincadeira. A primeira anima imanentemente a segunda — e, em contrapartida, é animada por ela. As séries de repetições estendem as *tensões* tigrescas, prolongando-as a um *tensor* individual. As tensões situacionais colocadas em jogo submetem-se a uma pressão inventivamente deformante que as vetoriza na direção do supernormal. A tigretude alça voo. O que está dado da situação tigresca, tal como convencionalmente conhecida, é superado, seguindo os tensores exploratórios extrapolados do entusiasmo do corpo da criança.

É isso que é a simpatia. Não há nada mais dinâmico. Não há nada menos atolado no conformismo. Nada menos sentimental. Nada menos projetivo e identificatório. A decolagem da brincadeira eleva a tigretude a altitudes em que nenhum tigre ou nenhuma criança jamais colocou seus pés ou patas: transportou-os, juntos, à pura expressão. A pura expressão, sendo abstração puramente vivida, é um território existencial onde ninguém jamais coloca os pés. Como pura expressão animal, a brincadeira de criança participa do mesmo movimento extraexistencializante que o jogo literário de devir-animal descrito no suplemento 1. O devir-animal escrito é uma extensão da brincadeira de criança, que, ela mesma, é uma extensão da corporalidade animal enquanto animada pela tendência supernormal do instinto. Escrever eleva a

---

a essa abordagem da percepção. A imagem é analisada em termos de força expressiva imanente de intensidade transindividual, com especial atenção para sua dimensão mais-que-humana.

brincadeira animal do humano à mais alta potência, a uma pureza de expressão supremamente tensorial: o puro extrasser em devir.

Qual a utilidade do devir-animal da criança? Para que serve o extrasser? Estritamente falando: nada.

Mas estilos inventados de alçamento de voo, modos improvisados de ultrapassar o que está dado na abstração vivida exploratória e órbitas experimentais de fuga das situações conhecidas e de seus temas genéricos podem sugerir, por analogia, linhas de fuga criativas para fora das outras situações em que uma forte dependência ao já-expresso impõe-se com o peso esmagador do imperativo de conformação. No suplemento anterior vimos que a metamorfose animal de Kafka abriu caminhos potenciais para além dos impasses da estrutura confinadora da família edípica. Bateson aponta na mesma direção: não há cura, ele diz, a não ser que o processo lúdico seja capaz de iniciar a si mesmo de dentro da situação patológica.[39]

Cura: uma palavra ainda muito comprometida pelo paradigma patológico. Palavras melhores: reanimação, revigoração. Tudo diz respeito a reanimar a vida. Cada revigoração segue o itinerário de uma cartografia vivida de natureza transindividual, ludicamente tensorada em direção ao supernormal. A revigoração lúdica é expressiva. É inventiva. Em sua transindividualidade, é ética. Em sua -esquidade, é estética. Em todos os seus aspectos, é afetiva. Analítica é o que ela não é, nem no sentido psicanalítico nem no formal. Tampouco é crítica, no sentido denunciatório.

O que a brincadeira animal do humano aporta à *zoé*-logia ou ao pensamento da política humana? Ela contribui com a ideia

---

39 Bateson, "A Theory of Play and Fantasy" op. cit., pp. 192-193.

de que até mesmo os complexos espetáculo-espectador — cuja própria percepção é o caso-limite — são germinalmente in-formados por, pelo menos, turbilhões de devires incipientes. E com a ideia de que essas agitações podem ser afirmadas; e de que, ao afirmá-las, o humano assume sua animalidade. Isso é verdade mesmo para os complexos espetáculo-espectador da mídia popular e das indústrias de entretenimento, bem como, mais abjetamente, para o zoológico. Quantas crianças não voltaram do zoológico para casa em plena tigretude? Ou em autoinspeção serpentesca? Ou numa paródia tarantulesca? Os devires-animais arranham, mordem e picam nas situações de vida normopática e sociopática de um modo que só são capazes os gestos que não denotam aquilo que iriam denotar.

É crucial manter a distinção entre afeto de vitalidade e afeto categórico. O afeto de vitalidade, não sendo hedônico, é irredutível a qualquer afeto categórico. Pode ser agradável, mas também pode morder. A brincadeira e sua política não são necessariamente alegres e prazerosas. De fato, nunca o são, no sentido categórico. Elas são, em todos os casos, intensas. Todo afeto de vitalidade é uma forma dinâmica de intensidade que, em si, é desqualificada em relação ao conteúdo emocional da situação dada. No movimento de invenção cuja forma dinâmica é o afeto de vitalidade é precisamente o conteúdo da vida que pode acabar transformado. O afeto de vitalidade é a forma dinâmica de expressão do movimento de devir que leva à reinvenção do conteúdo da vida. O que ele irá trazer, uma vez percorrido seu curso, terá sido o expressado da situação pela qual seu movimento de invenção se arrebatou. Após o ocorrido, esse expressado será total e completamente reconhecido e autorizado como o "o que" ao qual a situação disse respeito. Retroativamente, irá se tornar o conteúdo convencionalmente reconhecido da situação, assinado e sentimentalmente selado. Irá terminar seu curso. Porém: seu fim será o que está dado na próxima pulsação do processo, que irá disparar em si mesmo uma atividade numa dependência herdada com relação a este já expresso recém-cunhado: uma importância vivida recém-cunhada. Material para outra rodada de tendência supernormal, graças à abstração vivida. E assim segue o ciclo afetivo da vida, espiralando-se sempre -escamente em torno do centro de gravidade da corporalidade e do conteúdo temático.

Considerada desse ângulo, a expressão da tendência supernormal na forma dinâmica do afeto de vitalidade é uma verdadeira *produção em série de importância* — uma contínua reinvenção daquilo que é importante para a vida. Isso significa que uma pura forma de expressão — seja deslizando sobre a barriga, seja escrita à mão — carrega um significado potencial. A fuga que ela inventa em intensidade anuncia importantes modos de vida ainda por vir. Uma expressão ludicamente pura ocupa uma zona de indiscernibilidade entre o sério e o frívolo. Quando levada a sério, soa frívola. Mas quando depreciada, deixa passar batido que há algo extra se agitando, já enrolado, pronto para morder.

Na busca pela política animal não é necessário abster-se de denunciar os complexos de espetáculo-espectador e a estrutura opressiva que eles enquadram. Tampouco é indicado parar de analisar as formas de poder, sejam elas da arena midiática ou da política, em seu entendimento tradicional. Mas aquilo que é exigido é não contentar-se com a denúncia ou com análises. Sob o espetáculo... porco-espinhitude. Sempre e por toda parte há explorações supernormais germinando, expressões para se haver com a -esquidade do animal, espinhos para lançar, portas de fuga para abrir analogicamente, situações para repolarizar, tensores para extrapolar, potencialidades inauditas para inventar, conteúdos de vida para reinventar, tudo através dos gestos revigorantes de uma cartografia vivida. Sempre há, em todo lugar, algo a ser feito politicamente. Pois não há lugar sem corporalidade e sua dependência ao que está dado. Os imperativos da importância já expressa estão por toda parte em que chegar a vida. Por toda parte em que a herança é sentida como sufocante, por toda parte em que o já-expresso fala num tom imperativo demais, por toda parte em que uma corporalidade se choca contra um impasse estrutural em seus esforços de revigorar a si mesma, por toda parte em que a sentimentalidade confina emocionalmente o afeto, há trabalho a ser feito, repetindo a situação e brincadeira a ser reelaborada enativo-cartograficamente.

A zoo-logia é um convite à viagem animal. Caso você ainda não esteja convencido da pertinência de viagens de desterritorialização tão expressamente supérfluas, cuja seriedade está sempre muito à frente delas, então considere que, se há universais da existência humana, a propensão infantil a brincar de animal está certamente no topo da lista. Nunca houve criança que não deveio-animal ao brincar. O projeto da política animal: fazer com que o mesmo possa ser dito dos adultos.

Que estratégias específicas a política animal deve seguir com relação à política demasiado humana do zoológico? O gesto denunciatório deveria ser favorecido como uma exceção nesse caso, perante o cinismo estrutural do zoológico, o sufocamento da vitalidade de seus internos e o revestimento de sua própria barbárie? Acaso a nova vocação do zoológico é uma arca para animais ameaçados que é suficiente para resgatá-los? Se o zoológico fosse abolido, as remanescentes experiências dos animais, baseadas em vídeos, às quais a maioria das crianças estaria então confinada, carregariam tão intensamente um aprendizado de escape do humano pelo humano?

As respostas para essas perguntas merecem um desenvolvimento aprofundado que está para além do escopo deste ensaio; para além, de fato, do escopo da escrita. Não é na pura expressão que o tipo de movimento pode ser levado adiante de modo a metamodelar a superação da estrutura zoo-lógica numa verdadeira reinvenção da importância vivida das relações animal-humano. Numa arena tão carregada de corporalidade e complexidade afetiva, uma diversidade de pensares-fazeres exploratórios e dramatizações experimentais — dentre muitas, uma arena da atividade expressiva — deve vir à expressão recíproca. Somente uma *ecologia* enativa de diversidade de práticas animais, em tensão criativa de mútua inclusão diferencial, pode conseguir essa façanha. O que o puro devir-animal-escrito da filosofia, tal como empreendido neste ensaio, pode fazer é brincar de deflagrar a mínima diferença que é a condição de emergência abstratamente vivida do movimento de superação do que está dado, ajudando a alavancar a mais-valia de vida potencialmente ético-estética e in-formação.

Pode ser dito que a política animal como concebida aqui é a representação ecológica de uma filosofia ativista e pluralista. Reciprocamente, a filosofia animal, entendida de forma supernormal, é a in-atuação de uma política da brincadeira singular.

SUPLEMENTO 3

Seis teses sobre o animal que *devem ser evitadas*

1. Não presuma que você tem acesso a um critério para separar categoricamente o humano do animal. O critério mais amplamente convocado é a linguagem. Se a cultura é assimilada à linguagem, como frequentemente o é, então ela também resvala para a competência exclusiva do humano. Entretanto, como vimos, a linguagem já está presente, em potencial, na brincadeira animal. A brincadeira animal produz, de fato, as reais condições de emergência da linguagem. Uma vez que essas condições concernem aos poderes reflexivos da vida, um modo ou grau de consciência já está em vigor. Então não coloque na cabeça que a consciência vai prover a linha divisória. Considerando que a linguagem humana, em suas formas mais elaboradas, implementa seus poderes de invenção mais puramente expressivos, em vez de se separar do animal, ela retorna instintivamente a ele, na forma supernormal com a qual a vida animal sempre esteve acostumada a ultrapassar a si mesma.

2. Não confunda criatividade com um desvio do instinto para os reinos simbólicos (sublimação). Isso ainda é um pouco melhor do que a abordagem oposta, de confinar a expressão às molduras constritoras da função e da adaptação. De qualquer maneira, a criatividade é reduzida a um epifenômeno e o estilo e a graça de seus algo-extras expressivos, à superfluidez e à ornamentação. Na natureza, a criatividade e o instinto estão inextricavelmente entrelaçados. Eles estão presentes conjuntamente no ato e atuam juntos no arrebatamento adiante da tendência supernormal que conduz ambos a potências mais elevadas.

3. Não profetize com tanta seriedade o fim do humano e a alvorada de uma era pós-humana. Pronunciamentos como esse presumem, muito frequentemente, a habilidade de separar de forma categórica o humano do animal. Ainda que o humano seja entendido como estando em pressuposição recíproca com o animal, a transcendência do humano é também a transcendência do animal. Invocar o pós-humano é invocar o pós-animal. Mas, então, se o animal é imbuído de consciência, de modo que consciência e vida animal andam de mãos dadas, como querem Ruyer e Bergson, o pós-animal também seria o pós-vital. Isso significa que, a fim de chegar ao tão almejado "pós-", seria necessário arrancar a consciência e a vida dos territórios existenciais existentes do humano e do animal, e confiná-las na tecnologia. O "pós-" chega, assim, à já tão batida noção do "ciborgue" como vida prostética — vida radicalmente deslocada e prolongada para além de seu fim. Entretanto, a imagem do ciborgue hiperfuncional é muito frequentemente superada em popularidade pelo arrastar dos mortos-vivos. A cascata de pós- — humano, animal, vital — deságua de modo exangue no zumbi. Mas no zumbi a consciência se eclipsa. Então, não se ganhou muita coisa, ao passo que se perdeu mais do que sangue quente.

É claro que ainda resta a opção de um retorno a um "pós-" pré-pós-cascata, de uma época anterior, quando não parecia totalmente extravagante o fato de que a consciência pudesse ser desacoplada da vida, e a consciência, conservada sozinha (ou pelo menos a inteligência, sua prima pobre intuitiva). Esse é o velho sonho da inteligência artificial, tal como prefigurada enormemente na imagem do cérebro dentro do pote nas obras de ficção científica dos anos 1950. Mas se consideramos que o humano se torna mais animal quanto mais longe leva o seu poder mental; que ele se torna mais vital quanto mais vive a abstração, então fica ainda mais difícil imaginar que o nó da mútua inclusão — que une animalidade, vida e consciência — possa ser desatado. Talvez não esteja fora de questão que um dia essa mútua inclusão possa ser, ela mesma, maquinada. A natureza, afinal de contas, é cheia de artifícios. De fato, não há nada mais efetiva e paradoxalmente artificial do que a natureza sob a propulsão de sua tendência constitutiva voltada para o supernormal.

A essa altura você pode simplesmente se livrar do embotado cortejo dos "pós", pois a questão é *reingressar* o movimento do supernormal na direção da autossuperação, tensorando-o para mais longe, através de qualquer artifício que pareça funcionar, em vez de pular para um novo quadro. A questão toda é só aparentemente apocalíptica. Em última análise, é lúdica. Tecnicamente lúdica: uma questão de encontrar o artifício correto e deixar-se arrebatar por ele.

Seguindo esse movimento, nunca se chega à finalidade apocalíptica da era pós-humana, categoricamente além da esfera humana. Em vez disso, sempre se depara com o já *mais-que--humano*: mutuamente incluído no *continuum* animal integral, na medida em que se segue o seu caminho natural em direção à sua autossuperação *imanente*. O mais-que-humano: o terceiro incluído do devir-animal, sempre-já em processo, no progresso do divertido peregrino rumo a seu próprio horizonte.[1] Citemos Judith Butler, que escreve a partir de uma

---

1 Em *Always More Than One*, Erin Manning desenvolve um conceito de "mais--que-humano" como uma alternativa ao discurso do pós-humano. Seu conceito é derivado independentemente e não se refere à noção bastante distinta de mais--que-humano de David Abram (*The Spell of the Sensuous: Perception and Language*

linha filosófica muito diferente, mas com a qual cruzamos neste ponto: "Tanto a animalidade quanto a vida constituem e excedem tudo aquilo que chamamos de humano. O ponto não é encontrar a tipologia certa, mas entender onde o pensamento tipológico desmorona".[2] Onde o pensamento tipológico de separações categoriais desmorona será encontrada a necessidade — e a oportunidade — de empreender o projeto positivo de construir uma lógica de mútua inclusão diferencial dos modos de existência, e das eras da natureza, ou seja, mais para o escopo do animal-político.[3]

Onde desmorona o pensamento tipológico? Seria... desde o início, no fim e, mais especialmente, no terceiro (que ele ousa excluir): o meio.[4]

---

in the More-Than-Human World. Nova York: Vintage, 1997). Para Abram, o mais-que-humano se refere ao mundo não humano em oposição ao mundo humano. Concebido dessa maneira, o conceito valida o humano essencialmente como um sujeito fenomenológico, alienado pela tecnologia e pela vida moderna e convocado a superar essa alienação, renovando seus laços com a natureza — como se humano e natureza pudessem estar numa relação de mútua exterioridade, mesmo num movimento lapsariano.

2 Butler e Athanasiou, *Dispossessed: The Performative in the Political.* Cambridge: Polity Press, 2013, p. 35.

3 Para outra explanação, mais uma vez de uma perspectiva filosófica muito diferente — que opera no limite da lógica tradicional da vida —, cf. Thacker, *After Life.* Chicago: University of Chicago Press, 2010. Thacker não adere ao projeto positivo de construir uma lógica alternativa, preferindo trabalhar com as complexidades aporéticas produzidas no limite da lógica tradicional, sob a égide do negativo (contradição).

4 Tratamentos acadêmicos do pós-humano abordam a questão, é claro, com muito mais nuances do que o pós-itinerário superficial aqui esboçado (Hayles, *How We Became Posthuman: Virtual Bodies in Cybernetics, Literature, and Informatics.* Chicago: University of Chicago Press, 1999; Haraway, "Manifesto ciborgue: ciência, tecnologia e feminismo-socialista no final do século xx" in Tomaz Tadeu (trad. e org.), *Antropologia do ciborgue.* Belo Horizonte: Autêntica, 2009, pp. 33- 118; Braidotti, *The Posthuman.* Londres: Polity Press, 2013). A maioria afirma que o animal e o humano, a natureza e a cultura, estão num *continuum* — Wolfe (*Before the Law: Humans and Other Animals in a Biopolitical Frame.* Chicago: University of Chicago

4. Não se confunda ao pensar que o mais-que-humano fica do lado de fora, cercando o humano, no ambiente. O mais-que-humano também está na própria composição do humano. Pois o corpo humano é um corpo animal e a animalidade é imanente à vida animal (e vice-versa). Quanto mais a fundo se investiga a composição do corpo animal, mais se encontram níveis de inumanidade. Processos físicos e químicos aninham-se no corpo animal, não cedendo a ele nada da sua alteridade, ainda que contribuam para compô-la. Os processos fisiológicos em contínua operação no corpo contribuem com vários níveis de sensação não consciente in-formando a ação e a consciência. Basta pensar na maneira como o "cérebro intestinal" do sistema nervoso entérico modula a experiência consciente; ou nas inflexões do afeto, em segundo plano, pelos hormônios; ou na orientação contínua da experiência pelo sistema proprioceptivo; ou na aprendizagem do que é popularmente chamado de "memória muscular" ou, mais no escopo deste ensaio, no instinto. Todos estes são, por natureza, não conscientes.

"Sujeitos larvais" é como Deleuze denomina os acontecimentos experienciais infraindividuais que ocorrem nesses

---

Press, 2013) é uma proeminente exceção. Ainda que o discurso pós-humanista como um todo tenha extremo medo do instinto, a ponto de a palavra quase nunca aparecer — a não ser para ser jogada para escanteio. O *continuum* natureza-cultura é construído como pós-natural, precisamente a fim de exorcizar o instinto, considerado como tendo sido deixado na lata de lixo da história natural pela reconstrução artificial do *continuum* através das máquinas e da tecnologia. Repetindo: não há nada mais efetiva e paradoxalmente artificial do que a natureza sob a propulsão de sua tendência constitutiva voltada para o supernormal — que tem tudo a ver com o instinto. As abordagens pós-humanas também conservam, como parte de sua herança dos estudos culturais, "o sujeito" como uma categoria analítica privilegiada — isso é verdade até mesmo para Braidotti (*The Posthuman* op. cit.), que, nos termos das suas referências filosóficas, é o mais próximo da abordagem aqui desenvolvida. Em resumo, o pós-humanismo acadêmico é insuficientemente supernormal e muito severamente vacinado contra as subjetividades-sem-sujeito. Os pós-humanos, afirma Haraway, são irônicos. Mas: será que eles brincam?

níveis.[5] Os sujeitos larvais são superjectos aninhados contribuindo cumulativamente com suas formas de vitalidade assubjetivamente-subjetivas para a inspeção integralmente emergente da consciência primária. A dimensão do infraindividual é tão importante quanto a do transindividual, e processualmente inseparável dela. As duas conectam-se diretamente, entrando e saindo uma da outra, contornando frequentemente a reflexão consciente. O *feedback* infra/trans ocorre na incipiência de toda experiência, atingindo ou não o máximo de sua reflexão consciente. O modo como esse circuito formativo ativa o pensar-sentir da consciência primária para uma colocação em ação é o que eu chamo de "atividade nua".[6]

A atividade nua é o antídoto conceitual para a "vida nua" de Agamben, com toda sua dependência em relação à distinção *zoé/bios* e sua preocupação fundacional com o estabelecimento de uma fronteira entre o dentro e o fora (nem que seja apenas para suspendê-la na dialética-sem-síntese da inclusão exclusiva).[7] A atividade nua, de sua parte, constrói o dentro e o fora como acionamento e desligamento de cada um deles: a mudança de fase designa os polos num mesmo processo de mútua inclusão. O transindividual se junta ao individual, que se desdobra de volta no transindividual.[8] O mais-que-humano não está do lado de fora. Antes mesmo, o humano — onde ocorre por si só na natureza — está no meio, transecionado

---

5 Deleuze, *Diferença e repetição* op. cit., pp. 111, 118, 122-123, 203.

6 Massumi, *Semblance and Event* op. cit, pp. 1-3, 10-11; 2010.

7 Cf. Para mais sobre Agamben, ver notas 22 p. 98, 7 p. 130 e 21 p. 141.

8 Em outros momentos chamei isso de "retorno das formas elevadas", para enfatizar como as operações de linguagem efetuam, em particular, uma volta ao nível infraindividual de ação incipiente, onde figuram como um fator imediato em devir (Massumi, *Parables for the Virtual*, pp. 10-12, 35-39, 198-199).

por movimentos que o superam. Sua existência é membranosa e, como todas as membranas, precária.[9]

Lembre-se: "No fundo do homem não existe nada de humano".[10]

9 Deleuze (*Foucault*, trad. bras. de Claudia Sant'Anna Martins. São Paulo: Brasiliense, 2005, pp. 101-130) desenvolve uma teoria topológica similar do dentro e do fora em termos da dobra, assim como Simondon: "as verdadeiras formas implícitas [que correspondem aproximadamente aos sujeitos larvais de Deleuze] não são geométricas, mas topológicas" (Simondon, *L'information à la lumière des notions de forme et d'information* op. cit., p. 53). Para Simondon, "o vivente vive no seu limite", concebido como uma membrana de mão dupla (p. 225). Uma vez que as formas implícitas se embutem umas nas outras de um modo complexo, a "membrana" não é simplesmente redutível ao invólucro da pele, mas deve ser concebida de maneira fractal. Sobre topologia, cf. também Simondon, pp. 28, 210-211, 224-229, 254-304. O monadismo pós-leibniziano de sistema aberto proposto por Whitehead divisa uma infinidade de ocasiões atuais (também chamadas de entidades atuais) embutidas umas nas outras. Ele enfatiza que os níveis se inter-relacionam não através de suas formas físicas, tampouco por suas conexões quantificáveis parte a parte, mas — de maneira mais abstrata — através de suas "formas subjetivas". Essas ele define qualitativamente, em termos afetivos (o que equivale, aqui, ao "afeto de vitalidade"). Sobre a forma subjetiva como determinadora da inter-relação entre as ocasiões atuais e definida em termos afetivos, cf. Whitehead (*Adventures of Ideas* op. cit., pp. 176-177, 182-183).

10 Lapoujade, *Potências do tempo* op. cit., p. 72. É a filosofia da animalidade de Nietzsche, tal como analisada por Vanessa Lemm (*Nietzsche's Animal Philosophy: Culture, Politics, and the Animality of the Human Being*. Nova York: Fordham University Press, 2009), que é a que mais se aproxima da presente explanação. Nietzsche abarca o instinto num *continuum* natureza-cultura/humano-animal; é exemplarmente sensível aos sujeitos larvais; desenvolve centralmente o conceito de subjetividades-sem--sujeito (feitos sem fazedores por trás); recusa-se a confinar a vida ao orgânico ou a atribuir uma linha divisória entre ele e a matéria; reconhece a centralidade do afeto; repensa a política como função da animalidade e, definitivamente, brinca com a linguagem. Lemm interpreta corretamente o "super-homem" de Nietzsche não como uma superação da natureza, mas como uma reinvenção da natureza que possibilita ao humano superar a si mesmo. "No termo nietzschiano 'super-homem', o prefixo 'super-' não é usado nem para separar o humano do animal, tampouco para posicionar um acima do outro, mas para estabelecer distância suficiente [a diferença mínima necessária], de modo a abrir o espaço para um encontro agonístico" (p. 21). Agonístico: combatesco. A filosofia animal de Nietzsche é uma inversão do paradigma pós-humano. Para Nietzsche, "a natureza utiliza o humano como meio para sua própria compleção, e não o contrário" (p. 3).

5. Não tenha a esperança de que a categoria da matéria inorgânica irá salvar o dia categórico provendo uma linha divisória empírica que permitirá que você analise onde animalidade, consciência e vida começam e terminam. Ruyer:

> Em relação ao átomo, assim como para o ser vivo e o ser consciente, não é possível separar o que eles são do que eles fazem [...] Enquanto houver a crença na "substância" material tradicional, o tempo poderá ser concebido como uma dimensão vazia através da qual a substância é passivamente transportada. *Quando o conceito tradicional de matéria é substituído pelo conceito de atividade*, o tempo não aparece mais como um enquadramento vazio e alheio, e o tempo da ação [devir] deve ser visto como inerente ao tempo, à guisa de uma melodia temporal, um ritmo mnêmico próprio à atividade. Há certa memória que é aquela com ritmos físicos [...] Há um isomorfismo perfeito entre a atividade finalista dos organismos mais elevados e a atividade dos seres físicos [...] Nós devemos falar [...] da liberdade [...] dos seres físicos.[11]

A vida, escreve Whitehead, é uma "aposta na liberdade".[12] Em qualquer lugar do *continuum* — do humano às profundezas da matéria, passando por tudo o que há no meio; dos filhotes de lobo às gaivotas e minhocas, para não mencionar as amebas —, a "'vida' significa novidade".[13] O novo não possui enquadramento predefinido: "não há lacuna absoluta entre 'vivente' e 'não vivente'".[14]

---

11 Ruyer, *Le néo-finalisme* op. cit., pp. 158-160; grifo nosso.
12 Whitehead, *Process and Reality* op. cit., p. 104.
13 Ibid., p. 104.
14 Ibid., p. 102.

Requeremos que [...] a noção de "vida" envolva a noção de "natureza física" [...]. Nem a natureza física nem a vida podem ser entendidas, a não ser que possamos fundir as duas como fatores essenciais na composição das coisas "realmente reais", cujas interconexões e características individuais constituem o universo.[15]

Pós-pronunciamentos à parte, o que é requerido é um conceito de "atividade universal", que naturalmente se autoconduz para uma aposta na liberdade, estendendo a mútua inclusão da animalidade, da vida e da consciência, assim como do instinto, da intuição e da espontaneidade, na direção do limite especulativo da abstração vivida, fundindo a natureza física com o poder mental de ultrapassar o que está dado.

Precisamente porque a pura animalidade é vivida como inorgânica, ou supraorgânica, pode tão bem combinar-se com a abstração, e mesmo combinar a lentidão ou o pesadume de uma matéria com a extrema velocidade de uma linha que é unicamente espiritual. Essa lentidão pertence ao mesmo mundo da extrema velocidade.[16]

Essa "linha" é uma "força vital própria da Abstração".[17] Sua "extrema velocidade" e a intuição constituem uma só coisa.[18] E isso não porque tudo é orgânico ou organizado, mas, ao

---

15 Whitehead, *Modes of Thought* op. cit., p. 150.

16 Deleuze e Guattari, *Mil platôs*, v. 5 o. cit., p. 212.

17 Ibid., p. 213.

18 Ibid., p. 212.

contrário, "porque o organismo é um desvio da vida".[19] Na intuição, "tudo passa *entre* os organismos".[20] "A vida espreita nos interstícios".[21] Não no organismo. Não em nenhuma organização dada. "É evidente que, de acordo com essa definição, nem uma única ocasião pode ser dita viva. A vida é a coordenação das espontaneidades mentais no decorrer das ocasiões de uma sociedade", com "sociedade" tomada no sentido mais amplo de um agrupamento de atividades que participam do fazer de um acontecimento.[22]

A vida, em todas as suas dimensões, pertence ao transindividual, nunca ao indivíduo considerado separadamente. É no elemento do transindividual que a vida se estende, procedendo através de blocos qualitativos absorvidos num processo de variação contínua, arrebatando tudo em conjunto numa unidade dinâmica de mútua inclusão, enquanto que, ao mesmo tempo, dispersa a unidade numa multiplicidade de variantes simultaneamente constrastantes que vêm marcar de forma singular cada passo ao longo do caminho, para serem tão logo arrebatadas de volta à variação. *"Tendência Universal"*: a vida se impulsiona para a frente através da superação de tudo o que estiver putativamente fixado, que estiver dado de modo individualizável; da propulsão relacional através do que está dado rumo à emergência do novo.[23]

A essa altura, "os problemas relacionados às fronteiras entre os 'reinos' da Natureza, e ainda mais àquelas entre

19 Ibid.

20 Ibid.

21 Whitehead, *Process and Reality* op. cit., p. 105. Cf. também Didier Debaise ("A Philosophy of the Interstices: Thinking Subjects and Societies from Whitehead's Philosophy" *Subjectivity*, v. 6, nº 1, 2013, pp. 101-111).

22 Whitehead, *Adventures of Ideas* op. cit., p. 207.

23 Deleuze e Guattari, *Mil platôs*, v. 5 op. cit., p. 89.

as espécies, tornam-se muito menos importantes".[24] O que importa é a naturalidade da participação não natural na tendência universal, numa imediatez transindividual da atividade cuja importância é vivida, tal como a abstração in-atua um pensar-fazer que aposta na liberdade em todo gesto vital. Nesse jogo ético-estético de relação, "tudo é político".[25]

6. "É a marca que faz o território".[26] Esse é um modo de dizer que o mapa enativo cria o território. Não caia na armadilha da suposição do senso comum de que o que está em jogo preexiste ao sujeito já constituído, em interação funcional com objetos semelhantemente pré-constituídos num enquadramento espacial já traçado. Por um lado, "as funções num território não são primeiras".[27] Por outro, o enquadramento é sempre excedido na abstração vivida. A realização do ato expressivo coloca em movimento o espaço de superação de sua própria operação — embora ele não seja tanto um espaço, mas um espaço-tempo. Uma cartografia criativa enativa o espaço-tempo processual de seu próprio desdobramento. Não há sujeito por trás do ato criativo, existindo previamente ao processo. O sujeito sempre está à frente de si mesmo, no movimento de expressão. O sujeito é um "superjecto"[28] sempre por vir, ou já superado numa próxima pulsação da vida. O movimento autocondutor da expressão é essencialmente uma subjetividade-sem-sujeito. Isso de maneira alguma significa que existem *apenas* objetos, como quereria uma ontologia

24 Simondon, *L'information à la lumière des notions de forme et d'information* op. cit., p. 112.

25 Deleuze e Guattari, *Kafka: por uma literatura menor*, p. 36.

26 Deleuze; Guattari, *Mil platôs*, v. 5 op. cit, p. 122.

27 Ibid., p. 122.

28 Sobre o superjecto, cf. ver nota 17 p. 134.

orientada ao objeto. Há, no fundo, somente atividade e tendência afetando blocos qualitativos de relação plástica sob variação. Por fim, não deixe que a alegoria da cognição "corporificada" o leve erroneamente a pensar o corpo como algo que está esperando — com a paciência infinita de uma matéria burra — para encarnar uma mente. Se tudo está vivo, é porque os gestos expressivos da natureza seguem se a-corporalizando. Corporalizações-sem-"o"-corpo para subjetividades-sem-sujeito. Se tudo está vivo, é porque a vida vive sua própria abstração — cada gesto seu é uma especulação pragmática sobre a natureza do fazer.

REFERÊNCIAS BIBLIOGRÁFICAS

ABRAM, David. *The Spell of the Sensuous: Perception and Language in the More-Than-Human World*. Nova York: Vintage, 1997.

AGAMBEN, Giorgio. *Potentialities: Collected Essays in Philosophy*, trad. ing. de Daniel Heller-Roazen. Stanford: Stanford University Press, 1999.

___. *Homo Sacer: o poder soberano e a vida nua*, trad. bras. de Henrique Burigo. Belo Horizonte: Editora UFMG, 2007.

___. *O aberto: o homem e o animal*, trad. bras. de Pedro Mendes. Rio de Janeiro: Civilização brasileira, 2017.

BAINS, Paul. "Subjectless Subjectivities" in Brian Massumi (org.) *A Shock to Thought: Expression after Deleuze and Guattari*. Londres: Routledge, 2002, pp. 101-116.

BARRETT, Deirdre. *Supernormal Stimuli: How Primal Urges Overran Their Evolutionary Purpose*. Nova York: Norton, 2010.

BATESON, Gregory. "A Theory of Play and Fantasy". *Steps to an Ecology of Mind*. Chicago: University of Chicago Press, 1972, pp. 177-193.

BENNETT, Jane. *Vibrant Matter: A Political Ecology of Things*. Durham: Duke University Press, 2010.

BERGSON, Henri. *A evolução criadora*, trad. bras. de Bento Prado Neto. São Paulo: Martins Fontes, 2005.

___. *O pensamento e o movente*, trad. bras. de Bento Prado Neto. São Paulo: Martins Fontes, 2006.

___. *A energia espiritual*, trad. bras. de Rosemary Costhek Abílio. São Paulo: WMF Martins Fontes, 2009.

___. *Ensaios sobre os dados imediatos da consciência*, trad. port. de João da Silva Gama. Lisboa: Edições 70, 2011

BRAIDOTTI, Rosi. *The Posthuman*. Londres: Polity Press, 2013.

BURGHARDT, Gordon M. *The Genesis of Animal Play: Testing the Limits*. Cambridge: MIT Press, 2005.

BUTLER, Judith, e Athena ATHANASIOU. *Dispossessed: The Performative in the Political*. Cambridge: Polity Press, 2013.

CARERE, Claudio e Dario Maestripieri (orgs.). *Animal Personalities:*

Behavior, Physiology, Evolution. Chicago: University of Chicago Press, 2013.

CAREY, Nessa. *The Epigenetics Revolution: How Modern Biology Is Rewriting Our Understanding of Genetics, Disease, and Inheritance*. Chicago: University of Chicago Press, 2012.

CHALMERS, David. "Facing Up to the Problem of Consciousness". *Journal of Consciousness Studies* nº 2, 1995, pp. 200-219.

COMBES, Muriel. *Gilbert Simondon and the Philosophy of the Transindividual*, trad. ing. Thomas Lamarre. Cambridge: MIT Press, 2013.

DARWIN, Charles. *The Descent of Man, and Selection in Relation to Sex*, v. 1. Londres: John Murray, 1871.

____. *The Formation of Vegetable Mould through the Action of Worms, with Observations on their Habits*. Nova York: Appleton, 1890.

DEBAISE, Didier. "A Philosophy of the Interstices: Thinking Subjects and Societies from Whitehead's Philosophy" *Subjectivity*, v. 6, nº 1, 2013, pp. 101-111.

DELEUZE, Gilles. *Cinema 1: a imagem-movimento*, trad. bras. de Stella Senra. São Paulo: Brasiliense, 1985.

____. *Conversações*, trad. bras. de Peter Pál Pelbart. São Paulo: Editora 34, 1992.

____. *Bergsonismo*, trad. bras. de Luiz B. L. Orlandi. São Paulo: Editora 34, 1999.

____. *Empirismo e subjetividade*, trad. bras. de Luiz B. L. Orlandi. São Paulo: Editora 34, 2001.

____. *Espinosa – filosofia prática*, trad. bras. de Daniel Lins e Fabien Pascal Lins. São Paulo: Escuta, 2002.

____. *Foucault*, trad. bras. de Claudia Sant'Anna Martins. São Paulo: Brasiliense, 2005.

____. *Cinema 2 – A imagem-tempo*, trad. bras. de Eloisa de Araújo Ribeiro. São Paulo: Brasiliense, 2005.

____. *Diferença e repetição*, trad. bras. de Luiz B. L. Orlandi e

Roberto Machado. Rio de Janeiro: Graal, 2006.

___. *Lógica do sentido*, trad. bras. de Luiz Roberto Salinas. São Paulo: Perspectiva, 2007.

. *Dois regimes de loucos*, trad. bras. de Guilherme Ivo. São Paulo: Editora 34, 2016.

DELEUZE, Gilles, e Félix GUATTARI. *O que é a filosofia?*, trad. bras. de Bento Prado Júnior e Alberto Alonso Muñoz. São Paulo: Editora 34, 1992.

___. *Mil platôs*, v. 1, trad. bras. Ana Lúcia de Oliveira, Aurélio Guerra Neto e Célia Pinto Costa. São Paulo: Editora 34, 1995.

___. *Mil platôs*, v. 2, trad. bras. de Ana Lúcia de Oliveira e Lúcia Cláudia Leão. São Paulo: Editora 34, 1995.

___. *Mil platôs*, v. 3, trad. bras. de Aurélio Guerra Neto, Ana Lúcia de Oliveira, Lúcia Cláudia Leão e Suely Rolnik. São Paulo: Editora 34, 1996.

___. *Mil platôs*, v. 4, trad. bras. de Suely Rolnik. São Paulo: Editora 34, 1997.

___. *Mil platôs*, v. 5, trad. bras. de Peter Pál Pelbart e Janice Caiafa. São Paulo: Editora 34, 1997.

O anti-Édipo, trad. bras. de Luiz B. L. Orlandi. São Paulo: Editora 34, 2010.

___. *Kafka: por uma literatura menor*, trad. bras. de Cíntia Vieira da Silva. Belo Horizonte: Autêntica, 2014.

DELEUZE, Gilles, e Claire PARNET. *Diálogos*, trad. bras. de Eloisa Araújo Ribeiro. São Paulo: Escuta, 1998.

DESPRET, Vinciane, e Jocelyne PORCHER. *Être bête*. Paris: Actes Sud, 2007.

ESPINOSA, Benedictus de. Ética, org. de trad. Marilena Chauí. São Paulo: Edusp, 2015.

FORD, Brian J. "On Intelligence in Cells: The Case for Whole Cell Biology". *Interdisciplinary Science Reviews* nº 34 v. 4, 2009, pp. 350-365.

FOUCAULT, Michel. *A ordem do discurso*, trad. bras. de Laura Fraga de Almeida Sampaio. São Paulo: Loyola, 1999.

GOODWIN, Brian. *How the Leopard Changed Its Spots*. Londres: Phoenix, 1995.

GOULD, Stephen Jay. *The Panda's Thumb: More Reflections in Natural History*. Nova York: Norton, 1980.

GOULD, Stephen Jay, e Robert LEWONTIN. 1979. "The Spandrels of San Marco and the Panglossian Paradigm: A Critique of the Adaptationist Programme". *Proceedings of the Royal Society of London*. Série Biological Sciences, v. 205, nº 1161, 1979, pp. 581- 598.

GROSZ, Elizabeth. *Chaos, Territory, Art: Deleuze and the Framing of the Earth*. Nova York, Columbia University Press, 2008.

_____. *Becoming Undone: Darwinian Reflections on Life, Politics, and Art*. Durham: Duke University Press, 2011.

GUATTARI, Félix. *Caosmose*, trad. bras. de Ana Lúcia de Oliveira e Lúcia Cláudia Leão. São Paulo: Editora 34, 2006.

HARAWAY, Donna. "Manifesto ciborgue: ciência, tecnologia e feminismo-socialista no final do século xx" in Tomaz Tadeu (trad. e org.), *Antropologia do ciborgue*. Belo Horizonte: Autêntica, 2009, pp. 33- 118.

_____. *When Species Meet*. Minneapolis: University of Minnesota Press, 2007.

HARMAN, Graham. *Guerilla Metaphysics: Phenomenology and the Carpentry of Things*. Peru: Open Court, 2005.

HAYLES, N. Katherine. *How We Became Posthuman: Virtual Bodies in Cybernetics, Literature, and Informatics*. Chicago: University of Chicago Press, 1999.

HUIZINGA, Johan. *Homo Ludens: o jogo como elemento da cultura*, trad. bras. de João Paulo Monteiro. São Paulo: Perspectiva, 2000.

JABLONSKA, Eve, e Gal RAZ. "Transgenerational Epigenetic Inheritance: Prevalence, Mechanisms, and Implications for the Study of Heredity and Evolution". *Quarterly Review of Biology* v. 84, nº 2,

2009, pp. 131-176.

JAMES, William. *The Principles of Psychology*, v. 2. Nova York: Dover, 1950.

_____. *A Pluralistic Universe*. Lincoln: University of Nebraska Press, 1966.

_____. *Essays in Radical Empiricism*. Lincoln: University of Nebraska Press, 1966 [Ed. bras.: *Ensaios em empirismo radical*, trad. bras. de Jorge Caetano da Silva e Pablo Rúben Mariconda. Coleção Os Pensadores. São Paulo: Abril Cultural, 1979].

LANGER, Susanne. *Feeling and Form*. Nova York: Scribner, 1953.

LAPOUJADE, David. *Potências do tempo*, trad. bras. Hortência Santos Lencastre. São Paulo: n-1 edições, 2017.

LATOUR, Bruno. *Políticas da natureza: como fazer ciência na democracia*, trad. bras. de Carlos Aurelio Mota de Souza. Bauru: Edusc, 2004.

LEMM, Vanessa. *Nietzsche's Animal Philosophy: Culture, Politics, and the Animality of the Human Being*. Nova York: Fordham University Press, 2009.

LEWONTIN, R. C., Steven ROSE, e Leon J. KAMIN. *Not in Our Genes: Biology, Ideology, and Human Nature*. Nova York: Pantheon, 1984.

MANNING, Erin. *Always More Than One: Individuation's Dance*. Durham: Duke University Press, 2013.

MANNING, Erin, e Brian MASSUMI. *Thought in the Act: Passages in the Ecology of Experience*. Minneapolis: University of Minnesota Press, 2014.

MARGULIS, Lynn. *Symbiotic Planet*. Nova York: Basic Books, 1999.

MASSUMI, Brian. *Parables for the Virtual: Movement, Affect, Sensation*. Durham: Duke University Press, 2002.

_____. "Fear (The Spectrum Said)". *Positions: East Asia Cultures Critique*, edição especial "Against Preemptive War", v. 13, n⁰ 3, 2005, pp. 31-48.

_____. "Of Microperception and Micropolitics". *Inflexions: A Journal for Research Creation*, nº 3, Montreal, 2009.

___. 2010. "Perception Attack: Brief on War Time." Theory & Event (US) 13, no. 3 (Accessed October 2010), http:// muse .jhu .edu / journals /theory and _event /vo13/13.3.massumi.html.

___. *Semblance and Event: Activist Philosophy and the Occurrent Arts*. Cambridge: MIT Press, 2011.

___. "Ceci n'est pas une morsure. Animalité et abstraction chez Deleuze et Guattari". *Philosophie*, nº 112, 2011, pp. 67-91.

___. "The Supernormal Animal" in Richard Grusin (org.), *The Nonhuman Turn*. Minneapolis: University of Minnesota Press, 2015.

MEILLASSOUX, Quentin. *After Finitude: An Essay on the Necessity of Contingency*, trad. ing. de Ray Brassier. Londres: Continuum, 2008.

NIETZSCHE, Friedrich. *Genealogia da moral*, trad. bras. de Paulo César de Souza. São Paulo: Companhia das letras, 1998.

NOWAK, Martin A., com Roger HIGHFIELD. *Super Cooperators: Altruism, Evolution, and Why We Need Each Other to Succeed*. Nova York: Free Press, 2011.

OYAMA, Susan. *The Ontogeny of Information: Developmental Systems and Evolution*. Durham: Duke University Press, 2000.

PEIRCE, C. S. *Pragmatism as a Principle and Method of Right Thinking: The 1903 Lectures on Pragmatism*. Albany: State University of Nova York Press, 1997.

___. *The Essential Peirce: Selected Philosophical Writings*, v. 2. Bloomington: University of Indiana Press, 1998.

ROSE-ANTOINETTE, Ronald. *L'image est une expérience*, tese de doutorado. Paris: Universidade de Paris 8, 2013.

RUYER, Raymond. *Le néo-finalisme*. Paris: PUF, 1952.

___. *La genèse des formes vivantes*. Paris: Flammarion, 1958.

SAIGUSA, Tetsu, et ali. "Amoebae Anticipate Periodic Events". *Physical Review Letters* v. 100, nº 1, 2008, pp. 1-4.

SHEETS-JOHNSTONE, Maxine. *The Corporeal Turn: An Interdisciplinary Reader*. Exeter: Imprint Academic, 2009.

____. "Animation: the Fundamental, Essential, and Properly Descriptive Concept". *Continental Philosophy Review* nº 42, 2009, pp. 375-400.

SHOMRAT, Tal, e Michael LEVIN. "An Automated Training Paradigm Reveals Long-term Memory in Planaria and Its Persistence through Head Regeneration". *Journal of Experimental Biology*, 2013.

SIMONDON, Gilbert. *L'information à la lumière des notions de forme et d'information*. Grenoble: Millon, 2005.

SOURIAU, Étienne. *Le sens artistique des animaux*. Paris: Hachette, 1965.

STENGERS, Isabelle. *Thinking with Whitehead: A Free and Wild Creation of Concepts*, trad. ing. de Michael Chase. Cambridge: Harvard University Press, 2011.

STERN, Daniel. *The Interpersonal World of the Infant* [Ed. bras.: O *mundo interpessoal do bebê*, trad. Maria Adriana. V. Veronese. Porto Alegre: Artes Médicas, 1992]. Nova York: Basic Books, 1985.

____. *Forms of Vitality: Exploring Dynamic Experience in Psychology, the Arts, Psychotherapy, and Development*. Oxford: Oxford University Press, 2010.

THACKER, Eugene. *After Life*. Chicago: University of Chicago Press, 2010.

TINBERGEN, Niko. *The Study of Instinct*. Oxford: Oxford University Press, 1951.

____. *Animal Behavior*. Nova York: Time-Life Books, 1965.

TINBERGEN, Niko, e A. C. PERDECK. "On the Stimulus Situation Releasing the Begging Response in the Novaly Hatched Herring Gull Chick" in *Behavior* v. 3, nº 1, 1950, pp. 1-39.

UEXKÜLL, Jakob von. *A Foray into the Worlds of Animals and Humans*, trad. ing. de Joseph D. O'Neill. Minneapolis: University of Minnesota Press, 2010.

VENCE, Tracy. "One Gene, Two Mutations." *The Scientist Magazine*, 2013.

WESSON, Robert. *Beyond Natural Selection*. Cambridge: MIT Press, 1991.

WHITEHEAD, A. N. *Adventures of Ideas*. Nova York: Free Press, 1967.

___. *Modes of Thought*. Nova York: Free Press, 1968.

___. *Process and Reality*. Nova York: Free Press, 1978.

___. *O conceito de natureza*, trad. bras. de Julio B. Fischer. São Paulo: Martins Fontes, 1994.

WOLFE, Cary. *Before the Law: Humans and Other Animals in a Biopolitical Frame*. Chicago: University of Chicago Press, 2013.

Dados Internacionais de Catalogação na Publicação (CIP)
Vagner Rodolfo CRB-8/9410

M422q   Massumi, Brian

        O que os animais nos ensinam sobre política /
Brian Massumi ; Francisco Trento, Fernanda Mello. - São Paulo :
n-1 edições, 2017.
        192 p. : il. ; 14cm x 21cm.

        Inclui índice.
        ISBN: 978-85-66943-47-4

        1. Ciências políticas. I. Trento, Francisco. II. Mello,
Fernanda. Título.

CDD 320

2017-673   CDU 32

Índice para catálogo sistemático
1. Ciência política 320
2. Ciência política 32

ʼ𝑛–1

O livro como imagem do mundo é de toda maneira uma ideia insípida. Na verdade não basta dizer Viva o múltiplo, grito de resto difícil de emitir. Nenhuma habilidade tipográfica, lexical ou mesmo sintática será suficiente para fazê-lo ouvir. É preciso fazer o múltiplo, não acrescentando sempre uma dimensão superior, mas, ao contrário, da maneira mais simples, com força de sobriedade, no nível das dimensões de que se dispõe, sempre n-1 (é somente assim que o uno faz parte do múltiplo, estando sempre subtraído dele). Subtrair o único da multiplicidade a ser constituída; escrever a n-1.

Gilles Deleuze e Félix Guattari

n-1edicoes.org